韓国の行動原理

小倉紀蔵
Ogura Kizo

PHP新書

はじめに　韓国を蔑視するとはどういうことか

数年前のことだったが、あるひとがわたしに、「日本と違って韓国は文化財の保護に関して、とってもきちんとやってるんでしょうね。日本はほんとに全然ダメですからね」と語った。この女性は韓国についてはほとんど知らないひとだったと思うが、「韓国は文化や歴史を非常に大切にする国である」というなんらかの強いイメージを持っているようだった。知的で人生経験も豊富そうなひとであった。

わたしは「そんなことはないですよ。韓国は文化財なんかは日本と比べて全然大事にしてこなかったんです。ものを大切にする文化が稀薄ですし」と答えた。彼女は一瞬ひどく面食らい、直後に憤慨したようだった。なにに憤慨したのかといえば、韓国における文化財保護の状況にではなく、おそらくは、「韓国はダメだ」と臆面もなく語るわたしに対してであった（わたしが「韓国はダメだ」と語ったのではないことは、後で説明する）。

わたしが彼女に語ったことは、彼女からしてみれば「ありえない」ことだったのだろう。植民地時代に日本によって自らの文化を「破壊」され、歴史の痛みや大切さをつねに強烈に意識している韓国という国は、「文化も歴史も大切にしない日本」に比べれば、ずっと立派な国であるにちがいない、という「思い込み」が、そこにはあるようだった。

韓国を専門にしているわたしたちが日常的によく出会うのは、この女性のような性急なひとびとである。

二十年近く前に「冬のソナタ」という韓国ドラマが流行《はや》った。その主演男優であるペ・ヨンジュンの「国境を越えた愛の包容力」を高く評価した日本の女性ファンたちの一部が、「それに比べて小泉（純一郎首相）はけしからん」という主張をしたことがあった。わたしは『論座』という雑誌でそのような主張の不適切さを論じた。わたしは一応、韓国に関する専門家なので、「冬のソナタ」ファンのような単純で性急な二項対立では日韓関係を語ることができないことを、よく知っているのである。

新型コロナウイルスによるパンデミックがはじまった二〇二〇年の前半には、韓流ライターというひとが、新型コロナウイルスに対する国家的対処に関して、「韓国はすばらしい、日本はダメ」という主張をしたのを見た。わたしから見ると、これも性急すぎる認識にしか見えない。このような単純な認識は、韓国という社会をある意味で貶《おとし》めていることに、なぜ気づかないのか。

同じころ、新型コロナウイルスに関して、朝日新聞に大変よいコラムが載った（二〇二〇年六月二十五日付）。科学技術社会論が専門の内田麻理香氏による、「「暗黙知」欠く専門家に注意」という文章だった。「専門家」は「暗黙知」を持っていなければならない、というH・コリンズとR・エヴァンズの見解を内田氏は紹介する。ここで「暗黙知」とは、「専門家の集団になじんだり、長年の実践を通じて培《つちか》われたりすることでのみ獲得される、深い理解」である。単に一次資料を読んで問題を理解したと勘違いするひとは、専門家ではない。今次のコロナ禍においては、感染症の数理モデルの専門家ではない物理学者が、「K値」という指標を提示したが、これは専門知ではない。専門家以外の見解を退けるべきではないが、その領域の非専門家は、その領域の暗黙知を尊重すべきだ。以上が内田氏の主張である。

強く同意できる見解である。ただ、しろうとや非専門家が、あたらしい発見をしたりパラダイムの外に出たりする場合もあるので、それも尊重すべきだとは思うが。

付け加えていうなら、専門家は「多重主体」であることが求められると思う。冒頭の話に戻るならば、わたしは一応、韓国の専門家であるから、「韓国」「文化財」「保護」という三つの単語を聞いた瞬間に、それに関する数多くの知識やイメージを想起できる。と同時に、多数多様な韓国人がこの問題に関してこれまで、いかに主体的に苦闘してきたかを理解できる。自分の血族とは無関係なものを大切にする文化が稀薄だった韓国社会が、近代化以降、どうやってそれを変えようとしてきたかという苦闘の歴史である。その過程では日本に学ぶということが多く行われ、さらには「日本に学んだ歴史」を消去してきた歴史もあった。

それらに関係した数多くのひとびとの主体性を自分のなかに取り込めるのが専門家である。ごく一部の情報に接したからといって性急にそこから結論を導き出すのが専門家ではなかろう。わたしとしては、「ものを大切にしない文化」がもしあるとすれば、それを言下《げんか》に「ダメ」と価値判断せず、その文化の意味と意義を深く考えるのが専門家だと思う。「文化財を大切にするにちがいない韓国」という間違った認識は、「ものとしての文化財を大切にしなかった韓国の文化」に対する蔑視に直結するのである。

したがって、専門家が持っている特権のひとつは、「そのことに関しては複雑すぎてわからない」「そのことに関しては性急に結論は出せない」と言明できることである。

だが、コロナ禍の状況においては、感染症の専門家が持つべきそのような特権はほぼ否定された。喫緊の事態が急速度に推移し、非専門家がメディアで非暗黙知にもとづく勝手なことを断定的・二項対立的に語るという知の劣化状況のなかで、専門家は苦闘した。

コロナ禍対策として国家単位の優劣が安易かつ性急に語られ、その結果、国家にパワーが付与された。韓国の対策を単純に評価はできない。戦前日本の治安維持法に似た国家保安法があり、かつ軍隊の役割が非常に大きいという条件が、韓国のコロナウイルス対策に影響しているからである。そのことに韓国社会が苦しんでいるという状況を知らずに、いたずらに「韓国の対策はすばらしい」と語ることは、韓国人に対するオリエンタリズムであるし、蔑視でもあると、わたしは思うのである。

わたしは、多くの方に韓国人の考え方について、より実態に近い形で知っていただきたいと望んでいる。

文化財に対する見方もそうだが、日韓請求権協定の捉え方や元慰安婦訴訟についても、同じことがいえると思う。日本人が「韓国の法意識は間違っている」などと非難するのは正しいが、それだけに終わってしまうと、いつまでたっても隣国の行動原理は理解できない。本書では、朱子学や「王朝的歴史観」といった背景を取り上げ、彼らの考え方を平易に解説することを試みた。

第一章「韓国を正確に認識しなくてはならない」では、「日本では法が重視され、韓国では道徳が重視される」という自説について触れたうえで、韓国の法曹的能力は日本よりも低いとはいえないし、世界の最先端のトレンドに敏感であることを指摘している。「日本と違って韓国の民主主義は法を軽視するのでレベルが低い」と単純に考えるのは危険である。

第二章「韓国の主役はだれか」では、韓国における「市民」について取り上げ、日本の「市民」との大きな違いについて論説する。第三章「東学と北学――ダイナミズムの動力」では、韓国人のダイナミズムを生んだ、十九世紀後半の「東学」と、十八世紀後半の「北学」について取り上げる。韓国人が道徳を重視するのはたしかだが、それだけではない。実利を貪欲に追求する別の軸もあるのである。第四章「韓国人と日本人の政治観」では、朝鮮王朝の庶民が「ガバナンスを持たないが政治的」、江戸時代の日本の庶民が「ガバナンスを持つが非政治的」であったことを指摘し、その後日本人の政治観がどう変わっていったかについて綴る。

第五章「日韓の軍事的関係を再考する」では、韓国のアメリカに対する好悪《こうお》について取り上げつつ、日韓の軍事的な関係の将来について考える。第六章「北朝鮮というファクター」

では、北朝鮮に対する引け目など、韓国人が北朝鮮をどう見ているかについて論じる。

　ここまでが、「第一部　韓国の行動原理」である。つづく「第二部　『戦後最悪の日韓関係』をどう見るか」では、悪化した日韓関係について、わたしが重要だと考えている論点を挙げ、表層だけにとらわれない認識を持っていただくことを望んでいる。

　第七章「ニヒリズムの東アジアに未来はあるか」では、東アジアに蔓延《まんえん》するニヒリズムについて論じ、そもそも、日本と韓国を「ちゃんとした国家」と見なすことへの疑義を呈している。日韓の現状を正しく認識するためには、まず、両国を「ちゃんとした国家」と見なさないことが出発点になるのではないかという提案である。第八章「ジャーナリストの日韓論」では、日本を代表する韓国ジャーナリスト四人の近著について書評を行い、日本のジャーナリズムの韓国観の一端を紹介した。そして最終章「よりよい日韓関係をいかに構築すべきか」で、韓国に持ってもらいたい日本への認識、日本に求められる「哲学」と「才能」について私見を述べた。

　よりよい日韓関係を構築するためには、まずお互いの実像、現状を理解することからはじめなければならないだろう。本書がその一助となるのであれば幸いである。

韓国の行動原理

目次

第二章 韓国の主役はだれか

第三章

東学と北学――ダイナミズムの動力

第四章

韓国人と日本人の政治観

第五章

日韓の軍事的関係を再考する

第六章 北朝鮮というファクター

第二部 「戦後最悪の日韓関係」をどう見るか

第七章 ニヒリズムの東アジアに未来はあるか

第八章

ジャーナリストの日韓論

第九章 よりよい日韓関係をいかに構築すべきか

第一部

韓国の行動原理

第一章　韓国を正確に認識しなくてはならない

1　日本の韓国認識は甘すぎる

「朝鮮半島認識」が欺瞞だった時代

この二十年ほどのあいだに、日本人の朝鮮半島認識の質は全般的にいえば、飛躍的に高くなった。

それ以前は主に、韓国語・朝鮮語を解しない学者や評論家たちが、偏ったイデオロギーによって「分析もどき」をしていただけだといってよい。表面上はいかにも立派な言説のように見えたとしても、その中身は、現場の実態を無視した政治的見解にすぎなかった。現地の言葉を解さないひとがその地域の分析をするという知的欺瞞《ぎまん》が、もっとも大手を振ってまかりとおっていたのが「朝鮮半島認識」という分野だった。左も右も同断である。ひとことでいって二十年前までの日本における韓国・朝鮮認識は、左右それぞれの立場からの政治的メッセージそのものであり、実態とは乖離《かいり》しており、認識というよりは信念体系の表現であったといってよい。

私事で恐縮だが、わたしが『韓国は一個の哲学である』（講談社現代新書）という本を出したのが、いまから二十三年前（一九九八年）である。この本は刊行されてすぐ、実に数多くの新聞・雑誌で書評された。だが、書評してくれたのは主に、それまで日本で「朝鮮半島認識」を主導したり、それにかかわっていたひとたちではなかった。そういうひとたちはこの本を、ほとんど無視した。無視せざるをえなかったのであろう。わたしは一九八八年から八年間、韓国の知性的プライドのど真ん中であるソウル大学で韓国哲学を研究した。わたしの韓国認識のレベルは、政治的な信念体系である日本の「朝鮮半島認識」とは、懸隔《けんかく》の差があったと思う。これは自慢なのではなく、おそらく、事実である。だから、それまでヘゲモニーを握っていたひとびとは、この書を無視したのであろう。

道徳志向性の淵源となった朱子学

この『韓国は一個の哲学である』という本でわたしが主張したことをひとことでいえば、「韓国人は道徳を叫ぶが、それは韓国人が道徳的だからなのではない」ということだった。これはわたしが八年間、韓国社会をつぶさに見聞きした結果得た認識である。わたしの核心的な疑問は、「韓国人はなぜ、自分たちがさして道徳的な生を営んでいるわけでもないのに、四六時中、道徳ばかり叫んでいるのか」ということだった。これをわたしは「道徳志向性」という言葉で表現した。そしてその傾向性の淵源は、朝鮮王朝を五百年間支配した朱子学《しゅしがく》にあると見た。

朱子学は儒教の一学派で、南宋の朱子（朱熹《しゅき》）が集大成した学問である。元代以降の中国および朝鮮王朝では主流の世界観として君臨することになる。その特徴は、宇宙や人倫社会のすべてを理と気で説明することにある。気とは霊的な物質であり、理とは根源的な道徳である。このうち理は、宇宙の秩序の原理であると同時に人間関係の根本を規定する道徳でもある。朱子学的な社会においては、この理を体現している人間でなければ主体性を持つことができない。理を体現できなければ、他者に支配されてしまうのである。だから、人間関係がすべて、「自分と相手とどちらがよりたくさん理を体現しているか」という競争的なものにならざるをえないのである。

たとえば二〇一九年の夏から秋にかけて韓国政界では、曺国《チョグク》氏の法務部長官（法務大臣）就任をめぐる熾烈な攻防が繰り広げられた。この推移を見て日本では多くのひとが、「法務大臣になって清廉で腐敗なき法治をつくりあげようとする人物なのに、なぜ自分およびその家族・親族は不正・不義にまみれているのか。理解できない」という感想を持った。しかし、それが韓国における道徳なのである。韓国で道徳というのは、敵を叩き潰すときに使われる武器なのだ（だがこのことは、韓国人が自己を道徳的に高めようとしないことを意味しない）。

それまでの日本左翼は、「韓国人・朝鮮人・在日こそ道徳的で、日本人は不道徳」という枠組みを死守していた。かつて帝国主義の悪辣《あくらつ》な日本が朝鮮を植民地支配したこと、そして戦後も韓国への「経済侵略」を続けることなどを糾弾《きゅうだん》するために、道徳という概念を使った。そしてこれこそ、彼らの「韓国・朝鮮認識」を腐敗化させた最大の要因であった。

認識と蔑視は違う

このひとたち（日本左翼）の「認識」の問題点は多いが、その最大なものは、「韓国・朝鮮への蔑視」であろう。

日本の併合植民地統治に対して朝鮮人がすべて抵抗心を持っていたとか、韓国人・朝鮮人・在日はすべて真摯《しんし》に生きる道徳的なひとびとである、などという虚構を捏造《ねつぞう》して日本批判をする。そのとき、自分たちの目的（日本の保守や侵略性への批判）を推進するために、韓国人・朝鮮人・在日の多様で実存的で魅力的な生をすべて画一化し、「道徳的な怪物」にでっちあげてしまった。このような二項対立（道徳的な韓国・朝鮮と不道徳的な日本）は歴史についてなにも語らないだけでなく、虚偽の歴史を捏造し、韓国人・朝鮮人・在日の生の多様性と主体性を無化して画一化し、それを単なる利用対象としてしまったのである。これが蔑視でなくてなんなのか。

また、これと対抗するかのように、保守側の「朝鮮半島認識」にも、蔑視の領域に属するものが多い。それを尖鋭化したのがいわゆる嫌韓派の言説だが、これには民主的な社会の公的空間において到底容認できないレベルのヘイト的なものが多く、実に嘆かわしい。伝統的に日本人が持っている韓国・朝鮮への強い差別意識の土台のうえに、この二十年のあいだに蓄積された客観的で高度な朝鮮半島認識が都合よく加味されているのが、この嫌韓的言説の特徴である。つまり嫌韓派は、この二十年のあいだに日本で蓄積された、右でも左でもない客観的な認識を表面的に取り込むことによって、あたかも自分たちの認識は客観的であるかのように装っている。しかしここに陥穽《かんせい》がある。ここには洞察がなく、自分に都合のよい知識の断片をパッチワークしているだけだからだ。

2　日本よりも先を行っている韓国

王朝的伝統の韓国、封建的伝統の日本

たとえば法と道徳の関係について、嫌韓派の多くは、「日本は法治がきちんとしている立派な民主主義国家だが、韓国は情治や人治しかできず、三権分立もできていない前近代の国」という認識を持っている。これは部分的には正しい。つまり高度に学問的な客観的知識によってあるていどサポートできる認識だといえる。だが、この枠組みが過度な信念体系に

なってしまうと、あきらかな誤謬《ごびゅう》の領域に突入し、日本の国益にも著しく反する認識となる。

韓国の法と道徳の関係について日本で初めて思想的な問題提起をしたのは、わたしではないかと思う。「市民」や「民主主義」「歴史」「道徳」「法」などという語彙を日本語と韓国語は共有しているが、これらが「両社会で同じ意味内容を持つ」と誤解するとき、日韓の対立が大きくなるとわたしは考えている。両国がいわゆる「体制の共有」をしたあとに、むしろ摩擦が増大化しているひとつの理由は、そこにある。

このような考えのもと、わたしは二〇一四年に、現代韓国朝鮮学会という学会で、以下のような発表をした。同時に、日韓のいくつものメディアにおいてこの考えを述べた。

韓国での市民の概念は、「エリートから民衆へ」（八〇年代）、「民衆から市民へ」（九〇年代）と変化し、そこで後期資本主義に遭遇して市民がグローバル化、情報化した。これに対して日本では、「エリートから大衆へ」（六〇年代）、「大衆から中間層へ」（七〇年代）と推移し、その後グローバリゼーションの時代を迎えても、これに逆行して内向き化の傾向を深めた。

韓国では「わが国の市民は権力」といわれるし、政権よりもむしろ市民の「世論」のほうがパワーを持つ局面がしばしばある。これに対して日本では、「プロ市民」という言葉があるように、政治変革をうながす市民パワーに対しては、国民の冷淡な目が存在する。むしろ日本の市民運動は、政権交代のような大イシューではなく、日常生活と密着したこまごまとした課題解決にその本領を発揮しているというのは、日韓比較社会学における常識である。

この背景には、なにがあるのだろうか。わたしは、韓国の「市民」の淵源は儒教的な「士大夫」にあると考えている。近代への移行期に社会の「総両班《ヤンバン》化」が進行したという歴史も介在している。両班とは伝統的な儒教的支配層である。これに対して日本の「市民」の淵源は、江戸時代の農村における「自治」にあると考える。近代における社会の「総中間層化」が、それを一般化した。逆にいえば、韓国には法的な「自治」の概念が薄いのだが、これは王朝体制の遺風という側面が強いだろう。そして日本には道徳志向的な「反権力」の概念が薄いのだが、これは封建体制の遺風という側面が影響しているのであろう。前近代が王朝社会（朝鮮）だったのか、封建社会（日本）だったのか、の違いが大きいのである。

このように考えると、「現代社会をつくるうえで、なにがもっとも重要なメルクマールとなったのか」という問いに対して、韓国は王朝的（儒教的）伝統によって「道徳」がもっとも重要だったのだといえるし、日本では封建的（非儒教的）伝統によって「法」がもっとも重要視されたのだといえるかもしれない。このことを裏打ちする事実として、韓国社会では反道徳的行為への生理的嫌悪がもっとも強いのに対して、日本社会では反遵法的行為への生理的嫌悪がもっとも強いということが挙げられうるであろう。自治は、「自分たちがつくった掟を守る」ということにおいて成立する。だが道徳は、いちどつくられた法や合意による安定性を突破する力を持つ。

日本の近代化においては、大日本帝国憲法下においてもすでに法実証主義的なメンタリティが強く、これを強力な官僚機構の支配が下支えしてきたのだが、このことによって民主主義の機能不全という事態が継続して起こっている。民意が官僚にブロックされてしまい、政治に反映されにくいのだ。これに対して韓国では、道徳志向的なメンタリティが強いために、「汚濁にまみれている現実の歴史より、理想的な仮想道徳歴史（バーチャル・ヒストリー）のほうが重要だ」という朱子学的な歴史観の専横が浸透し、これによって民主主義（道徳的理想を実現させるシステムだと韓国では考えられている）への過信が過剰化するとともに、それへの深い失望や絶望も同時に進行する。

もちろん日本にも韓国にも多様性があるので、個々のひとびとがすべて以上のように考えているわけではないが、大きな流れとしてこのような傾向がある、というのがわたしの仮説であった。

だが、二〇一四年の当時はまだ、この仮説に対する反応はよくなかった。現代韓国を研究する最先端の学者たちが集まる学会における発表だったが、明快な肯定的反応がなかったのである。つまりその当時はまだ、「韓国は道徳重視で、日本は法重視」という枠組みは、日本ではにわかに受け入れられないものだったといってよいのであろう。

だがその後数年を経て、ようやくこの認識は日本社会で一般化した。いまや研究者やジャーナリストもこの認識をほぼ共有している。それだけではなく、日本社会も韓国社会もこの数年間、わたしの仮説どおりに推移してきたといえる。ネットのコメント欄を見れば、「日本は法を重視し、韓国は道徳（正義という名の独善的な国民感情）を重視する」という認識があふれている。ごくふつうの日本人が持っている認識になったといってよいと思う。

韓国の法曹的能力は高い

だが、この認識を安易に一般化してしまうと、大きな問題が生じるのである。

そもそもわたしは、「日本では法が重視され、韓国では道徳が重視される」という認識を打ち出しはしたが、この場合に、韓国に対する蔑視や軽視の視線は介在していない。ところが日本の嫌韓派は、この認識をよりどころにして、韓国蔑視をしている。これが危険なのだ。

どこが違うのか。

「韓国では道徳が重視される」という場合、法は道徳によって簡単に破られるのではない。つまり、道徳と法のあいだに緊張関係がないのではない。むしろ強い緊張関係がある。法は軽いがゆえに破られるのではなく、道徳が強いがゆえに破られるのである。「日本と違って韓国の民主主義は法を軽視するのでレベルが低い」と単純に考えるのは危険だ。

なにが危険なのか。

韓国が日本からの水産物に輸入規制をかけている問題に関して、WTO（世界貿易機関）において二〇一九年四月、日本が韓国に惨敗したことを思い出していただきたい。WTO上級委員会は、WTO協定違反とした第一審の判断を取り消した。これを受けて韓国は、福島周辺八県すべての水産物に対する輸入規制措置を継続したのだった。

日本政府は、これに関して無論、日本の完勝を確信していた。韓国の実力をバカにしていたのである。しかし蓋を開けてみれば、結果が日本にとって屈辱的といえるものだったのは、わたしたちが皆知っている事実である。

韓国は法を軽視し、法に疎いのか。そうではない。韓国の法的な交渉力は、グローバルなスタンダードに照らし合わせて、きわめて高いレベルにあるのである。徴用工や慰安婦の問題に関しても、国際司法裁判所などの法的判断にゆだねれば日本の主張が必ず認められる、と日本政府や保守派は考えているのかもしれないが、それは甘い。むしろ日本が完敗する可能性すらある。その理由は、日本のリーガル精神よりも韓国のそれのほうがずっと進んでいるからだ。

日本のロイヤー界のグローバル化に長年尽力してきたひとから聞いた話だが、「二〇一九年から翌年にかけての民主化デモで香港が混乱したことによって、もっとも多くの利益を得るのは韓国かもしれない」ということだ。米国の弁護士事務所の多くは、これまでアジアの拠点をシンガポールと香港に置いていたが、これをシンガポールとソウルに変更しようという動きがあるという。東京は完全に蚊帳《かや》の外だという。弁護士の英語力を含めた能力の圧倒的な差と、グローバルな法思想の流行に対して日本の法曹界があまりにも鈍感であるためである。ひとことでいって日本の法曹界は内向きにしか機能していない。これはきわめてゆゆしい動きだといわざるをえない。

法に対して保守的な日本、革新的な韓国

歴史的な意味で既得権を持っている側として日本が、たとえば日韓基本条約と請求権協

定、慰安婦合意などに対して「合意は拘束する＝守られなければならない（pacta sunt servanda）」という原則論のみを押しの一手で主張しても、負けるときは負けるのである。

さらに、慰安婦問題に関する韓国の地裁判決に対して「主権免除の原則（外国の主権的行為に対する損害賠償は認めることができない）」のみを唱えていても、負けるときは負ける。

二〇二一年一月におけるソウル中央地裁での元慰安婦訴訟では、日本政府に対して原告ひとりあたり一億ウォンの慰謝料支払いを判決は命じた。日本政府は控訴しなかったので、この判決は確定した。ところが同年四月の別の元慰安婦訴訟では、地裁は主権免除を理由に訴えを却下した。日本のなかでは、この四月の判決こそ常識的で当然の判断だという声が圧倒的に多い。それはじゅうぶんに理解できる。「合意は拘束する」とか「主権免除」という国際法上の大原則がいとも簡単にないがしろにされてしまっては、世界の法的安定性が大いに毀損されるからだ。だから、徴用工判決や慰安婦判決に対して日本人が「韓国の法意識は間違っている」「韓国には法治の概念はないのか」などと非難するのは正しい。

だが、わたしとしては、もうひとつ別のまなざしも持つべきだと考える。というのは、もし日本が国際的にじゅうぶんに尊敬される国家たろうとするなら、政府も法律家も専門家も、「主権免除こそが唯一の解」と声高に合唱するだけでなく、「この裁判において問われていることは、二国間の紛争に関していったいどのような法的・思想的意味を持つのか」という問いに対して、包容的な見解を披露してもよかったのである。つまり、元慰安婦の原告および二〇二一年一月のソウル地裁判決は、いったいなにを訴え、なにを語ろうとした「思想」であるのかについて、高飛車に突っぱねるのではなく、ともに考えるという姿勢をすこしでも見せる余裕が必要だった。ひとことでいって、そのような余裕を失って「主権免除」のみを呪文のように唱える日本政府には、高度に洗練された知的なガバナンスができる能力を感じ取ることがまったくできなかった。

これは非常に残念なことである。

なぜか。世界はいま、法的な安定性という意味でいっても、大激動期だからだ。十九世紀から二十世紀前半にかけて支配と被害を受けた側がいま、正義を取り戻そうとする潮流がグローバルに展開しており、国際的な司法もそれに呼応しつつある。つまり、法の世界がいま、「正義の回復」というメガ・イシューをめぐって攻防している。これは、政治学・政治思想・法学などの世界で「移行期正義」といわれている概念とリンクした動きだ。独裁や強権支配や紛争状態から解放されていく過程において、どの国でも統治権力によっておびただしい人権蹂躙《じゅうりん》や暴力が行使されてきた。その犠牲をそのままにせず、過去に踏みにじられた人権の回復を目指そうというのが、「移行期正義」である。正義をとりもどす際に、政治や法を道徳的な要求に呼応できるものに変えていかなくてはならない。「法の道徳化」という現象がグローバルなレベルで起こっているのだ。これは韓国人がもっとも得意とするベクトルである。日本人も動体視力を鍛えて、世界における新しい法的秩序の生成の現場を見つめ、それに主体的に参与しなければならない。もしそれができないならば、日本は「主権免除」というような古い観念だけにしがみつく、守旧勢力としてのみ認識されつづけるしかない。

3 近代の側か、対抗近代の側か

グリーバンス(不平・不満)国家

これらの問題には、韓国の国家的アイデンティティが深く関わっている。韓国人が自分たちの国をどのように規定しようとしているのかを、わたしたちはきちんと分析すべきだ。

「グリーバンス（grievance)」という言葉がある。「不満」「不平」「苦情」といった意味だが、これがいま、きわめて重要な概念である。なにに対する不平不満か？　「近代」である。近代という時代にヨーロッパとアメリカと日本がほぼ世界を独占してしまった。十九世紀から二十世紀前半にかけて、植民地支配、世界戦争、自然破壊、産業資本主義、科学技術などによって地球上の人間の生活を根本的に変えてしまった主役が、欧米と日本であった。この「呪われた近代」に対抗する思想とパワーが、「対抗近代」とでも呼ぶべき形をとって、非西洋・非日本の地域で勢力を拡大している。

韓国はかつて植民地支配された主要国家・地域のなかで、戦後に先進国になった国家の先頭を走っている。ここまで発展するのに払った犠牲と努力は、すさまじいものであった。本来はそのことに大きな自信を持って、先進国の陣営の一員として責任を持ってふるまうべきなのである。国際法の秩序を守り、「合意は拘束する」「主権免除」の原則を尊重するのは、その基本中の基本であろう。

しかし、韓国は、先進国としての責任を担って歩んでいけばいいのか（つまり近代側の勢力になるのか）、それとも「グリーバンス国家」として先進国に対する不平不満を訴えるべきなのか（つまり対抗近代側に与《くみ》するのか）、大きく揺れている。かつての帝国主義勢力と同じ陣営にはいりこむことを、「被害者国」として、潔しとしない。

韓国はグローバルな正義の側に立とうとしている

特に文在寅《ムンジェイン》政権は、「グリーバンス（不平・不満）国家」の側面ばかり意識してきた。自分たちはいまや資本主義の最先端の国家であり、自然破壊もしているし、他国に対する経済的搾取もしている。日本や欧米に文句がいえない立場になっている現実は見ようとせず、植民地支配されたことによる傷を訴える対抗近代の国家として、グローバルな「グリーバンス国家群」の代表になろうという野心を持っていた。文在寅政権が「漢江《ハンガン》の奇跡」など自国の経済発展の歴史や、その過程で日本からの多大な協力を得たことを完全に無視しようとしたのは、そのためである。慰安婦問題を世界の女性の人権問題としてイシュー化しようとしているのも、そのためである。

対抗近代の「グリーバンス国家」としては、「合意は拘束する」という国際法の大原則を守ること自体が、欧米および日本による帝国主義時代の支配や搾取を肯定することとなのだから、過去の「悪法」や「悪条約」は積極的に否定することが、過去に被害を受けた国家群を代表する英雄的行為だと考える。たとえば慰安婦問題はかつて反日ナショナリズムのイシューであったが、いまや戦時女性人権蹂躙問題として、グローバルな正義・人権運動ともなっている。韓国の左派は、あきらかに自国をグローバルな正義回復のヒーローにしようとしている。そしてそれはおそらく、あるていど成功するであろう。

一方、安倍政権および菅政権は、不平不満国家の韓国を切り捨てよう、突っぱねようというメッセージしか出さなかった。

これでは接点がなくなるのは当然である。

接点がなくなることで困るのは日韓のどちらなのか。もちろん両方である。特に日本は二十一世紀に、韓国という理解者を失って朝鮮半島全体を敵としてしまえば、徹底的に没落すると予測される。特に日本が失敗しているのは、次世代の人材育成である。グローバルで優秀な人材の育成という分野では、日本は中国はもちろんのこと、韓国にも絶対的にかなわない。これはわたしが大学という現場で実感していることだ。すでにまったく勝負にならないのである。人類全体の平和と正義のために、いま、自己が全力を挙げてなにをやらねばならないか。自国や世界を変革するためにいま、自分はどのような能力を培うべきか、という根本において、日本の大学生は韓国に比べてあまりにも劣っている。

自己と世界を媒介する「国家」や「社会」という項が、日本の若者には存在しないからなのだと思う。日本人の若者に「国家」や「社会」というリアリティがないのは、そういうものを学校・メディア・家庭が不可視にしているからである。特に国家は、存在感がほとんどないといってよい。それに対して韓国では、学校・メディア・家庭で執拗に国家の存在が強調される。徴兵制によって、男性は国家に軍事的な奉仕をしなくてはならないのが大きい。愛国心がつねに善なるものとして子どものときから注入される。個人がグローバルな価値と無媒介に向き合うのではなく、国家がつねに媒介項として存在しているのだ。そこが日本と韓国の違いである。

嫌韓派が主張する自国（日本）への根拠なき自信は、いったいどこから来るのだろうか。わたしには、嫌韓派の言説は虚しい空砲のようにしか思えない。法的にも道徳志向的にも、韓国の現実変革運動が世界に訴える力を侮ってはならない。根拠のまったくない過信は、日本の沈没を早めているだけではないのか。

第二章

韓国の主役はだれか

1 苛立つノーリターン国家

「ナッツリターン」事件

韓国社会が抱えている巨大な問題のひとつとして、「財閥」という存在の暴力的なまでに自己中心的な振る舞いがある。財閥は、韓国が驚異的な経済成長を遂げて先進国に突き進んでいくためには絶対的に必要な装置だった。しかしそれは、「開発独裁」という、旧時代の圧倒的な資源集中の暴力性と並走する装置であった。だから開発独裁の時代が終わるとともに、ある意味で役割を終えるべきであった。特に左派政治家や知識人たちからは、徹底的に批判されもした。しかし、たとえばサムスンやLG、ヒュンダイなどという財閥がなければ、中国や日本との厳しい経済競争には勝てないというのも、韓国人の大多数が持っている意識である。その意識の存続が、財閥企業の病理を長続きさせてきたともいえる。

その病理の一端を垣間《かいま》見せたものとして、たとえば二〇一四年十二月に起きたいわゆる「ナッツリターン」事件があったのを、記憶しているひともいるかもしれない。韓国のナショナル・フラッグである大韓航空の趙顕娥《チヨヒヨナ》副社長が、自社のフライトに乗ったところ、CAがナッツをサーブしたのだが、そのやり方が気に食わないとして激怒し、飛行機を出発空港に強引にリターンさせた、という事件である。これは、日本の「嫌韓派」および、「なんとなく韓国に違和感を抱いているふつうの日本人」の関心を強く引きつけた。

「財閥は大韓民国に属する企業なのか」、いやそうではなく、「大韓民国という国家は財閥の支配下にある団体に過ぎないのではないか」とまで思わせるような傲慢な振る舞いを財閥はふだんからしてきた。そのことに国民は常日頃苛立っている。その苛立ちのさなかに、「ナッツリターン」が起きたのである。

これを大韓民国政府が許しておくわけがなかった。当時の朴槿恵《パククネ》政権は、躍起になってこの問題を「財閥＝悪」という図式のもとに処理しようとした。国民は当然それを支持した。趙顕娥副社長はメディアの前に罪人のごとき無残な姿を晒さなくてはならなかった。メディアのカメラの前では、堂々とした人間的な姿勢を取ることすら許されない。だがそのうちひしがれて許しを乞うかのような彼女の姿が、彼女のこころをそのまま表していると考える韓国人はひとりもいなかったはずだ。朴槿恵大統領（当時）も、趙顕娥副社長が反省しているなどとは少しも思っていなかった。

加速度が強すぎて思考停止している

朴槿恵大統領の思いは、次のようなものだったはずだ。「大韓民国に泥を塗るような行為は、絶対に許せない。大韓航空が大韓民国だとでもいうのか。大韓航空の一副社長が、大韓民国の大統領の顔に泥を塗るのか。わたしはこんなに潔癖に、謙虚そのものの姿で、国民から愛され、正義と愛に生きているというのに（これが朴大統領の自己認識であった）、財閥は国民を苦しめ、あたかもこの国の王ででもあるかのように振る舞い、そして世界に恥を晒した……」。

韓国国民はこの二十年ほどのあいだ、この国の歴史上初めての経済的豊かさを享受しながら、この社会に対する怨嗟《えんさ》の念を増幅させているのだ。

財閥のグローバルな稼ぎによって韓国が途方もなく潤っているにもかかわらず、諸悪の根源は財閥にあるといって憎悪の罵倒を財閥に吐きかけている。高学歴の若者の多くが財閥に入社しようと必死で努力しているにもかかわらず、その同じ若者たちが財閥の悪口をネットでまき散らしている。

ある社会を規定するのは、速度というよりもむしろ加速度だ。一九六〇年代から五十年以上にわたって、異常なほど強烈な加速度が加わりつづけた韓国社会では、ひとびとがすでに正常な判断をすることができなくなりつつある。それは、この三十年間に加速度がほぼゼロになってしまって、そのおかげでなにかを考えなくてもすむようになってしまった日本社会とはまるで正反対の種類の、思考停止なのである。韓国社会では、加速度があまりに強すぎるために、なにかを考えようとしても考える足場を長く保持できない。そういう意味での思考停止の場が韓国なのだ。

大統領も副社長も、苛立っていた。なにかを考えようと立ち止まりたいのだが、それが許されない。しかしそれは、大統領や副社長だけの姿ではないのだ。実は韓国の国民のほとんどが、それと同じ境遇にある。もとに戻りたくても戻れない。動いている飛行機をもとに戻せば、罪人になる。大統領も同じだ。大韓民国という飛行機をとにかく飛ばしつづけなくてはならない。次から次へと発生する不祥事によって、この国を逆回転させることはできないのだ。

2　真の権力を握る存在

なぜ自信と余裕を持てないのか

だが韓国社会は、この数十年間の強力な加速度のおかげで、日本よりもずっと速く、さまざまな発展を成し遂げてきたのではなかったのか。二〇二〇年の一人あたりＧＤＰは、購買力平価換算でいえば、日本が四万一六三七ドル、韓国は四万四二九二ドルだった（ＩＭＦ調べ）。フロー次元でいえば、もはや日本と韓国には差がないか、韓国が上回っている状態である。

なぜ、そのことに対する自信と、それに起因する精神的余裕を、韓国社会は見せることができないでいるのか。なぜいつまでも、かつての「パルリ、パルリ（速く、速く）」の高度成長時代のような切羽詰まった余裕のなさを見せつづけているのだろうか。

さまざまな角度から、そのことを説明することができる。純粋に経済問題として説明することもできるだろう。つまり、一見豊かになったかのように見える韓国社会だが、実は格差の問題が深刻化している。福祉も整備されていないうちに、高齢化が急速に進行している。優秀な中小企業が少ないためにいびつな産業構造がいつまで経っても改善されない。……

だがここでは、そのような表面的な問題ではなく、もっと韓国社会の本質に関わる問題に迫ってみることにする。そもそも韓国は、伝統的な社会からどのような力学によって現在の姿にまで発展してきたのか。そしてその力学にはどのような特徴と問題点があるのか。読者にわかりやすいように、日本との比較という観点から語ってみよう。

大統領府をコントロールできる勢力

この国をひっぱっていっている「主役」は、いったい誰なのか。

財閥であろうか。表面的には、そのようにも見える。サムスンやヒュンダイは、あきらかに韓国をひっぱっている主たるプレイヤーだ。しかし、財閥はその横暴ともいえる振る舞いにより、国民からの尊敬を得ることに実は失敗している。文在寅のような左派政権だけでなく、実はそのまえの朴槿恵保守政権のときから、財閥の専横を抑制しようとしていたのであり、二〇一四年の「ナッツリターン」事件であからさまになったとおり、政府はいざとなれば財閥をコントロールすることができるのだ。

それならば大韓民国の主役はやはり大統領府なのか。

そうではない。大統領府をコントロールできる勢力が、韓国には存在するのである。

それは、「市民」というひとびとである。たとえば慰安婦問題を見てみよう。李明博《イミョンバク》大統領までは、韓国政府はこの問題に関して日本政府との接点を求めてさまざまな努力をしてきた。しかし、それをことごとく阻んできたのが、韓国挺身隊問題対策協議会（略称は挺対協）という市民運動団体であった。この団体の力を、歴代の政権は抑えることができなかった。

この団体（正義連［正義記憶連帯］と名称を変更）の代表であった尹美香《ユンミヒャン》が数々の不正を働いていたことが、二〇二〇年にあきらかになった。それらの不正をほぼだれからのチェックも受けずに犯しつづけることができるほど、この団体と尹美香の力は強かったのである。

慰安婦問題においては、この挺対協こそが真の権力を握りつづけてきたのであって、国家の中心的な課題を意のままに操ってきたという意味では、ここに大韓民国の権力の源泉があったのだといってもよいくらいだ。これが、この国の市民の力である。

3　韓国の市民はいかにして生まれたか

軍人型エリートへの対抗軸として

韓国の市民とは、なんなのだろうか。

このことについては第一章でも簡単に触れたが、ここでは、より詳しく述べてみよう。「市民」という語彙を日本語と韓国語は共有している。発音も同じ「シミン」である。しかし実は、この言葉が指し示す文化社会的コノテーションは、日韓の間でかなり異なるのである。

このことを理解するためには、やはり歴史的な経緯を整理する必要があるだろう。

第一章で述べたように、韓国は建国後、エリートから民衆へ（八〇年代）、民衆から市民へ（九〇年代）という変化を経験し、この九〇年代にグローバル化を推し進めたといえる。八〇年代までの韓国は、エリート中心の社会であったということができる。ただ、この場合のエリートには、大きくいって次の三つのタイプがあった。①儒教的な伝統にのっとり、高学歴の人文的教養を持った士大夫型②併合植民地統治の影響を受けたテクノクラート型③同じく併合植民地時代の影響を受けた軍人型。

かつて田中明が指摘したように、③の軍人類型をエリートと規定することは、朝鮮王朝時代からの文人優位の社会においてはきわめて異例だったのであり、その意味で朴正熙《パクチョンヒ》大統領（任期一九六三～七九）時代から全斗煥《チョンドゥファン》大統領（任期一九八〇～八八）時代までは「例外」の時代であったといえる。

そしておそらくは、一九六〇年代以降に③の軍人型がエリートとして政治的な支配を行ったことが、その後の韓国史における社会変革の主体を規定する大きな要因となった。これも田中明が指摘したことだが、軍事独裁政権時代における抵抗運動は、たといそれがキリスト教系の人士によるものだったとしても、その根本的メンタリティは儒教の士大夫のものであった。

しかし一九八〇年代になって、韓国では民衆という概念が社会の前面に登場し、労働運動や左派の世界観と合体して社会変革の中心的な主体となる。激烈な民主化運動は、儒教的な士大夫の抵抗のメンタリティと、その影響を受けた民衆の変革主体性が合体して完遂されたものであった。

ただ、一九九〇年代にはいって急速に後期資本主義化が進んだ韓国では、民衆の道徳的抵抗主体性に対して、消費経済と結び付いた大衆の台頭が著しい現象として注目された。

そのまま民衆が歴史の裏面に後退し、後期資本主義的な大衆支配の時代になるかと思われたが(日本はそうなった)、韓国ではそうはならなかった。社会の道徳志向性がきわめて強かったからである。

このような軌跡上に、市民は出現したと考えられる。つまり、軍人エリートに対抗して士大夫および民衆のメンタリティが変革の主体として現われたが、民主化後の九〇年代には、その達成をあざ笑うかのように後期資本主義的な大衆が力を持ち始めた。それを道徳的に抑えこもうという形で今度は市民が現われたのである。金大中《キムデジュン》政権(任期一九九八～二〇〇三)から盧武鉉《ノムヒョン》政権(任期二〇〇三～〇八)にかけての時期の出来事であった。

したがって、韓国における市民とは、「非正統たる日本的・独裁的な軍人支配」を打倒した「正統としての士大夫・民衆」の延長線上に位置しており、この正統は権力を掌握しないかぎりは再び不道徳かつ非正統な勢力によってヘゲモニーを奪われてしまうという儒教的歴史観を強く持っているため、著しく権力志向的なのである。そして後に述べるように、韓国における士大夫メンタリティは、「王の間違った判断を正すことができるのは自分たちしかいない」という考えを持っているので、「政権の間違った政策や判断を声高に批判・糾弾して正す」という政治的行為に邁進するわけである。韓国人がよく、「わが国の市民は権力である」「市民は政府よりも強い権力だ」というのは、このことを指している。

これに対して日本は、エリートから大衆へ（六〇年代）、大衆から中間層へ（七〇年代）という変化を経験し、その後「内向き化」の方向に向かったといえるのではないだろうか。

もちろん日本にも市民はいたし、現在もいる。だが、日本で市民という言葉がもっとも社会的な影響力を持ったのは、一九五〇年代から七〇年代であろう。九〇年代以後には、逆に「プロ市民」という言葉も生まれて、政治的活動をする市民を揶揄《やゆ》し、冷淡なまなざしを向ける論調もインターネットに現われた。

日常生活に深く関わるイシューに関して、市民の感性が細かく働き、それによって細々としたレベルでの政治・行政・社会の修正がなされるという意味では、日本の市民の力は大きいといえるだろう。しかし、そこには一国の政治全体を動かしてやろうという士大夫的な志向性はほとんど認められないのである。

社会の総士大夫化

日韓におけるこのような市民という概念の違いは、近代社会を形成してきた過程の相違に起因するものであるが、その相違の淵源を日韓それぞれの歴史に求めることも可能である。

先に述べたように、歴史的にいって、韓国の市民の淵源は儒教的な士大夫にある。朝鮮王朝において、士大夫こそは王の政治に対して批判し、それを正すことのできる最大の勢力であった。儒教的統治は「道徳的な理を現実社会に実現すること」を指すが、この理を掌握している人間は必ずしも王ではなかった。むしろ、「士大夫こそが理を掌握しているのであって、王は理から逸脱する傾向を強く持っているために、士大夫によって修正されるべきだ」というのが朱子学の考えであった。

もちろん朝鮮政界には、士大夫の権力を王のそれより重視する老論派《ろうろんは》と、王の権力をより重視する南人派《なんじんは》の対立があったし、王と士大夫の関係規定はひとつではなかった。しかし、現実に朝鮮王朝においては、士大夫が実際の政治を動かしていたという事実は動かすことができない。

近代への移行期に韓国では、「社会の総士大夫化」とでもいうべき現象が起きたことも、重要なできごとであった。

これに対して日本の場合、第一章で述べたように、市民の淵源は「自治」ではなかっただろうか。この場合の自治というのは、室町時代から江戸時代の封建体制において、支配層（武士）による遠隔統制を受けながら農村において農民が行った自己統治のことである。支配層（武士）は農村に常駐しないので、農民たちは自分たちの代表である庄屋・名主・肝煎《きもいり》を通してあるていどの自治を行った。この自治においてもっとも重要なのは、「掟を守ること」であって、いちど決められた掟を破ることはいかなる者でも許されなかった。

このような封建体制の遺風が、日本の近代にも残っている。日本人は反権力の志向性が弱く、法を遵守《じゅんしゅ》することを金科玉条のように考える傾向があるといわれる。道徳は容易に法の壁を突き破ることができない。近代以降における社会の「総中間層化」に、この思考法が反映されている。これは封建的な自治の延長線上にあるメンタリティだといえるだろう。

翻って、韓国には王朝体制の遺風が近代にいたっても残っている。韓国人は反権力の志向が強く、法より道徳のほうが優越すると考える傾向がある。しかしこのメンタリティに自治の観念は薄く、いちど決めたことを守るというよりは、自己より上位の立場に位置する人間や組織に対して、自己の正当な不平・不満（グリーバンス）や要求を終わりなく突きつけていく、という志向性を持っている。ここには厳密な意味でいって、自治はないのである。

別の言葉でいえば、自治型の日本社会には「外部」がないのに対して、反自治型の韓国社会はつねに「外部」に向けて要求しつづける、という傾向があるのである。

民主主義とは「道徳的社会を実現するためのプロセス」

現代社会をつくるうえで、なにがもっとも重要なメルクマールとなったのか。そしてこのことに関して、日韓の間でなにが異なっていたのか。第一章で語ったことを、さらに深めて考えてみよう。

韓国の場合、もっとも重要なのは道徳であった。そしてこれは儒教的伝統にもとづくものであった。もしそうだとすると、韓国社会においては、「反道徳的行為」への生理的嫌悪がもっとも顕著に表われるということが説明されうる。

これに対して、日本においてもっとも重要なのは法であったと思われる。そしてここには、反儒教的伝統が深く関わっている。もしそうだとすると、日本社会においては反道徳的行為よりもむしろ「反遵法的行為」への生理的嫌悪がもっとも顕著に表われるということが説明されうるであろう。

このことを踏まえると、次のことがいえる。

日本においては、法実証主義的なメンタリティが明治時代以降、強く根づいた。これが官僚支配への支持を下支えすることとなる。法より上位の概念はなく、その法を解釈するのは官僚であり、しかも立法を実質的にコントロールしているのも官僚だからである。このことによってたしかに法治という西洋発の概念は日本にいち早く浸透したのである。しかしそのことは逆に、民主主義の機能不全（官僚支配）という現象を深刻にもたらしてしまった。

これに対して韓国においては、道徳志向的なメンタリティが朝鮮王朝以来、社会に根づいていた。これは法の絶対視を嫌うものであり、法より上位に位置する道徳がもっとも重要だという観念となる。歴史認識においては事実が軽視され、「こうあるべき」という仮想道徳歴史（バーチャル・ヒストリー）の専横をもたらすことになる。このことが、韓国社会における民主主義への過信と失望という現象をもたらしたのであろう。「民主主義とは道徳的社会を実現するためのシステムだ」と過信し、そしていつも裏切られるのだ。

こう考えると、韓国社会がつねに強い加速度によって高速変化をしながら、大統領も財閥も国民もつねになにかに怯えている理由が明らかになる。それは「究極の道徳性」を把握している者でなければ、この国では決して高く評価されないという事実であり、「市民」と称する団体がその道徳的ヘゲモニーを握っていることによって、民主主義も歴史認識も極度に硬直化してしまっていることによる生きにくさなのである。

第三章 東学と北学——ダイナミズムの動力

1 韓国人の歴史観

韓国の知識人がかかえる負い目

前章では、韓国の変革主体に関する説明をした。次に本章で、変革の駆動力について考えてみよう。

社会を発展させる駆動力として、合理性を重視するのかそれとも道徳性を重視するのか。

極端にいえば、解放後の韓国の歴史はこのことをめぐる闘いだったとさえいいうるのではないだろうか。

韓国の知識人が、よくこういう話をする。

「韓国の民主化運動はわれわれが血と汗を流しながら達成した尊い歴史だ。しかし自分はそのとき、民主化運動に命を懸けて参加しなかった（できなかった）。だから、命を捨ててわが国の民主化運動をなしとげたひとびとに対する負い目をずっと抱えている」。

誠実な知識人であれば必ずこのような物言いをするし、逆にいえばこのような物言いをしてこそ、この社会では誠実な知識人として認められる。

そしてこの認識は歴史をさかのぼって、日本の併合植民地統治に抵抗した抗日運動家たちへの「敬意」と「負い目」の意識と合体する。

このような意識は、韓国社会に暮らしているとごく当然なこととして受け取られるし、実際、韓国の独立と民主化のために命を捨てて闘った義士、烈士に対してこのような意識を持つのは当然のことのように思える。

しかしもう少し冷静に考えれば、この意識はやはり道徳志向的なものだといえるのだ。

抗日運動や民主化運動が道徳志向的な意味で立派なものであったのは、一点の疑いもない。しかしそれだけで韓国が発展していまのような先進国になったわけではもちろんないだろう。強権的な支配によって自由を弾圧した軍人出身政権が、開発独裁という方式で韓国の近代化・産業化を推進したからこそ、現代の韓国の繁栄があるわけだろう。開発独裁の人権蹂躙は決して擁護できないが、歴史は道徳的に正しい勢力が発展させるわけではないことは、受け入れざるをえない事実ではないだろうか。

朝鮮王朝への再評価

このことと関連するのだが、朝鮮王朝をどう評価するか、ということが、韓国社会ではつねに問題となっている。日本でも江戸時代に対する評価は重要なイシューであるが、近代以前の国家あるいは社会の状態をどう認識するか、という問題は、韓国でもきわめて重要なイシューである。

朴正熙政権時には、朝鮮王朝の儒教的統治は、日本の併合植民地史観（朝鮮停滞論）の影響を受けて徹底的に批判された。儒教的統治によって従属的精神、非主体性、空理空論、支配層の腐敗、経済の停滞などが王朝全体に浸透した、というのが、近代化・産業化を至上命令とした朴正熙政権時代の歴史観であった（ちなみに北朝鮮の金日成《キムイルソン》政権もこれとまったく同じ歴史観を持っていた）。

しかし一九九〇年代以降、つまり近代化と産業化をあるていど達成したあとの韓国では、一転して朝鮮王朝肯定の論調が優位に立ったのである。朝鮮王朝の儒教的統治こそが、道徳的に正しい理想的な政治の時代であった、という語りが韓国社会に浸透した。

一九八〇年代までは、朝鮮王朝の支配層であった両班《ヤンバン》といえば、映画やテレビのコメディ番組などで好色で貪欲な権力者としてデフォルメされて描かれることが多かったが、一九九〇年代以降、そのような描き方は消え去った。老論といえば、朝鮮後期に政権を牛耳って朱子学的思想統制を強化し、非現実的な北伐論（清を打倒するという論）に固執して王朝を停滞させた党派として悪名高かったが、一九九〇年代にはソウル大学の鄭玉子《チョンオクチャ》教授らが先導して、老論こそ儒教的文人統治の精髄を実現した理想的な党派だという再解釈がなされ、その歴史観がほぼ定着した。

また「十八世紀後半の英祖・正祖の時代こそ儒教的理想主義が爛熟した朝鮮王朝の絶頂期だった」という歴史観は、すでに現在の韓国では揺らぎない定説となっている。近年新たにつくられたソウルの国立古宮《こきゅう》博物館では、朝鮮王室への全面的な賛美が展開されている。この朝鮮王室全面肯定の評価には、海外における韓国歴史ドラマの人気も影響しているのだろう。

ただ、正祖の統治が終わったあとの（在位は一八〇〇年まで）一八〇一年以降、朝鮮は激烈な党派争いと王の外戚による権力の私物化によって、理想的な状態から腐敗への道を転落した、という歴史観は現在でも共有されている。

2　東学という動力

日清戦争を生んだ「変革思想」

この「十九世紀腐敗論」の歴史観がどこにつながるかというと、十九世紀後半に崔済愚《チエジエウ》によって創始された東学という宗教への肯定論につながる。東学は一八九四年に朝鮮南西部で起きた甲午農民戦争（かつては東学党の乱と呼ばれた）のきっかけとなり、この蜂起に加わった多くのひとびとが東学を奉じていたため、韓国近代史にとってきわめて重要な位置を占めることとなる。すなわち、一八九四年の蜂起は直接的には朝鮮王朝の地方官僚の収奪と腐敗に対する抗議であったが、これと外国（日本および西洋）の帝国主義的侵略に対する抵抗とが結びついたものだった。そしてこの蜂起が結局は朝鮮半島を舞台とする日清戦争につながる。蜂起から日清戦争の過程で、没落両班や農民を含む多数の朝鮮人が日本軍・朝鮮軍・清軍によって殺された（ただし歴史叙述においては虐殺の主体はもっぱら日本軍である）。

このような歴史をふりかえってみると、東学こそは、帝国主義的な侵略と腐敗した政治を打倒しようとした、きわめて道徳的で高潔な思想であり実践であったと評価することができる。これが、併合植民地時代の抗日運動、そして解放後の軍人出身政権時代における民主化闘争と結びついて、韓国の道徳的正統性の一貫した線となるのである。挫折した高邁さへの憧れがその土台にある。

だが、先に述べた朝鮮王朝の儒教的道徳性に対する肯定と、東学の肯定とは矛盾しないのだろうか。つまり、東学といえば北朝鮮では反封建階級闘争の変革思想と解釈されているし、韓国でもそのような見方が左派では主流である。左派があくまでも、儒教は反動思想で東学は変革思想であるという古い公式的な階級闘争史観を堅持しているのだったら、矛盾はないように思える。

しかし、ものごとはそんなに単純ではない。韓国の左派は、頭は階級闘争史観だが、ここ ろは儒教的道徳志向性を強く残存させているひとびとなのである。したがって、極端な左派でないかぎり、東学を高く評価する軸と、儒教的道徳性を思慕する軸とは、矛盾させずに並存させたい。そのときに出てくるのが、帝国主義批判なのである。日本帝国主義により、儒教的道徳性および東学の革新性のどちらもが暴力的に壊滅させられてしまった。思想の内容上は、儒教と東学は異なるが、どちらも帝国主義に抵抗するという点では同じだった。儒教的伝統からも、東学的革新性からも、韓国の内発的な発展の道はありえたはずである。しかしそれを潰したのが日本帝国主義であった。おおよそこのような論理によって、左派だけでなく多くの韓国人は儒教と東学という両者を同時に肯定できる道を歩むことができる。

「内発的発展の道はありえたか」という問いとの関わり

だが、ここにもうひとつ別の軸がある。

というのは、「儒教的伝統からも、東学的革新性からも、韓国の内発的発展の道はありえた」と語るのはたやすいが、その説明が充分な説得力を持ちうるだろうか、という問いに関連する。かつて、近代化が韓国社会にとってもっとも大きなイシューであった時代には、東学は近代化の思想として解釈されていた。それは、朱子学的な理という封建反動の秩序を解体する気一元論の革命思想だとされたのである。たしかに崔済愚の思想は気一元論がその土台であるし、中国・北朝鮮の哲学においては「理は反動で封建的、気は平等で近代的」という絶対的な図式が固定化されていたから、それを援用して「東学＝気一元論＝民衆思想＝平等＝下からの革命思想＝反帝国主義＝反封建」という強固な図式が成り立っていた。

しかしこれはあくまでもマルクス主義的な図式であって、東学から近代がそのまま出てくるという説明にはならない。なによりも技術革新や資本の蓄積、商工業の発展などという基本的な社会の変革を説明できない。

ところがやがて韓国も近代化や産業化は充分に達成して、一九九〇年代後半から二〇〇〇年代にはポストモダンに突入したと自己認識された。それとともに、内発的近代化という困難なテーマはいつしか忘却されてしまったのである。あれほど苦しんだテーマは、いとも簡単にひとびとの頭から消え去ってしまった。それと同時に、いつしか東学は近代ではなくポストモダンの先駆的思想として捉えられるようになった。

3　北学という動力

小中華思想を掲げる老論の幻想

ポストモダンの東学。つまり、近代的な人間中心主義、環境破壊、帝国主義、戦争、植民地主義などを克服する思想としての東学。この解釈は魅力的であるし、また時代にぴったり合ってもいる。

しかしそれでは、韓国近代の思想はどこに行ったのか。

かつて、近代が重大なテーマだった時代に、さかんに取り上げられたもうひとつの思想資源が、韓国にはある。それは、「実学」である。

「実学」とは、朱子学的な空理空論ではなく、現実問題を解決するための実践的な学問をいう。朝鮮後期の李瀷《イイク》、朴斉家《パクチエガ》、丁若鏞《チヨンヤギヨン》（茶山《タサン》）などが代表的な実学者だ。併合植民地時代の鄭寅普《チヨンインボ》などが実学研究の重要性を唱え、解放後に北朝鮮でも韓国でも、実学は思想研究の中心に据えられた。一九七〇年代から八〇年代までは、「実学こそ韓国の近代化を準備した思想」という命題は絶対的なものであって、誰もそれを疑うことはしなかった。日本でも姜《カン》在彦《ジエオン》氏などがさかんに朝鮮実学研究をした。

実学の系譜はいくつもあるが、わたしとしては、近代との関係でもっとも重要なのは、「北学派」であると考える。先に述べた「東学」が、「西洋の学に対して東（朝鮮）の学」という意味であるのに対し、この「北学」は、「北（清）に学ぶ」という意味である。

北学派が活躍したのは十八世紀の後半だが、朝鮮政界では、十七世紀中葉以降、老論という党派が絶大な力をふるっていた。老論の党是は「北伐」であった。十六世紀の終わりに豊臣秀吉の朝鮮侵略に対抗して援軍を送った明が疲弊して、十七世紀はじめに北方の女真《じょしん》に圧迫され、結局、一六四四年に李自成によって滅ぼされる。その前に朝鮮は、一六二七年と一六三六年に女真が建国した後金によって侵攻され、一六三七年に朝鮮王・仁祖はいまのソウル漢江南岸で後金のホンタイジ（太宗）に臣下の礼をとる。この後、朝鮮は後金（清）の臣下となるのである。

老論とは、この屈辱に対する復讐を党是とし、小中華思想を明確に打ち出した党派である。つまり、清を樹《た》てた女真は、北方の野蛮族である。その野蛮族が、明に勝利し、朝鮮を臣下とした。朝鮮としては、明には「再造之恩」（豊臣秀吉の倭に侵攻されて壊滅状態だったのを、明が助けてくれた）がある。清は野蛮人の国家であるから、中華（宇宙の文明の中心）を継承することはできない。明の中華は、もっとも道徳的な儒教国家である朝鮮に移ったのだ。つまり、明の中華の継承者である朝鮮こそ、野蛮な清（北）を伐たなくてはならない。

……これが老論の論理である。

もちろん老論といえども、執権党であるから、朝鮮の清への臣従という現実は受け容れる。だが彼らの理想は、あくまでも北伐である。このようにして、朝鮮政権の中枢が、現実とはかけ離れた幻想的な国際認識にとらわれることとなった。

清に学べ

そのような状況のなかで、十八世紀の後半に出現したのが、北学派という集団であった。洪大容《ホンデヨン》、朴趾源《パクチウォン》、朴斉家がその代表的な論客である。その中枢は老論の傍流（不満分子の集まり）から出た。彼らの主張は以下のとおりだった。清はたしかに女真という野蛮人が打ち樹てた国家である。だからといって、その文明・文化が野蛮であるということはできない。女真はすでに中華文明を学び、しかも新しい技術や文化を発展させている。国家の正統性が欠如している（野蛮人であること、明と朝鮮への侵攻）からといって、いつまでも怨恨を抱えたままそれを打倒しようと考えていても意味がない。

たしかに朝鮮は明に対しては「再造之恩」がある。しかし明はすでに滅びてしまった。その滅びた明の儒教文明を継承しているからといって、現実的に朝鮮が清より優れているわけではない。朝鮮にはろくな技術がなく、舟も車も瓦も立派な道もない。道がないから交通も未発達だ。これといった産業もなく、商工業は蔑視されているので原始的な状態にとどまっている。貨幣も流通せず、商店もほとんどない。

朝鮮は清より劣っているだけではない。朝鮮通信使として日本に行った士大夫の話では、日本の工業の技術は著しく発展しているし、国家もゆたかだという。しかし朝鮮の両班たちはそんな現実を見ることは一切せず、無為徒食に明け暮れている。口を開けば「わが国の文明はもっとも高い」と自慢をするが、清の高度に発達した文明をなにも知らないからそんなことがいえるのだ。……

これが、北学派たちの東アジア認識であった。彼らはみな燕行使《えんこうし》として実際に燕京（いまの北京）に滞在した経験があり、また清での最新文物の見聞を正確に共有していた。ところが、清での見聞を士大夫たちに披露して、「いまやわが国も清に学ばなくてはならない」といおうものなら、士大夫たちはみな立ち上がって、大いに笑う。「清からなにを学ぶというのか」というのだ。「わが国の士大夫たちはみな、特殊な色眼鏡をかけているので、現実を見ることがまったくできない」と朴斉家は嘆く。

北学派は単に当時の朝鮮士大夫を批判しただけではない。商工業の振興策や社会のインフラ整備など、当時として考えうるもっとも広範囲で抜本的な社会改革案を提示した。特にもっとも急進的だった朴斉家は、王に朝鮮改革案を提示して実行を迫った。だが、北学派はあまりにも急進的な改革を提起したことと、当時の朝鮮における清認識とあまりにもかけ離れた認識を提示したことにより、彼らの改革案は実現されることはなかった。朴斉家も結局は現在の北朝鮮最北東部に流配《るはい》されてしまった。

4　東学と北学の角逐

プレモダン化するポストモダン

わたしの考えでは、朝鮮がもし内発的発展をするのであれば、十八世紀後半の時点でこの北学派の主張の路線をとるべきであった。それしか道はなかった、といってよい。だが、朱子学的正統主義の壁は分厚く、結局、朱子学一辺倒の老論派内の強硬主流グループによって、北学派は打倒されてしまった。

これとともに、約一世紀後、朝鮮王朝末期に出現した開化派もまた、朝鮮の近代化への強力な道筋を創造しうる勢力であった。しかしこの開化派もまた、短い活動期間の果てに挫折する。

韓国で近代化が至上命令だった時代には、北学派や開化派は高く評価された。だが、その評価は、ポストモダンの時代にはいるとともに、急速にしぼんでしまった。もはや韓国において、「韓国が自力で近代化できたか否か」というのはそれほど切実な問題ではなくなったのだ。それよりも、「近代の弊害」のほうに関心は急速に集まるようになり、北学派や開化派よりも正統朱子学や東学のほうに積極的な意義を見出す言説が増えたのである。

過去の思想の評価は、あるていど、現在の価値によって左右されるのは当然だ。だから右のような状況に対しても理解はできる。

だが、ここにはもうひとつ重要な問題が含まれている。

それは、社会を変革するうえでなにがもっとも重要であるか、という価値に対して、韓国ポストモダンは、プレモダンに回帰している、という点である。

どういうことだろうか。

そもそも近代という公案は、韓国にとってもっともむずかしい問題のひとつであった。この問題にきちんとした答えを出す前に、韓国はポストモダンを迎えたと認識されてしまった。脱近代の高みから近代を批判する視座の獲得は、近代というアポリア（難問）をいまだ解決できていない韓国にとって、実に好都合なことであったにちがいない。

ここに日本との違いがある。つまり韓国のポストモダンは、近代という暗黒の時代（内発的発展の失敗、帝国主義の侵略、併合植民地への転落、イデオロギーによる分断、軍事独裁、個人主義、自然破壊、資本主義の弊害……）に対する道徳的な裁断という性格を強く持っていた。日本のポストモダンが脱道徳的な傾向を持っていた（傾向であって本質ではない）のとは反対に、韓国のポストモダンは、近代の時代に抑圧された道徳性の十全な復活という側面を持つのである。

だから、この視座においては、「近代化のためには道徳的正統性ではなく、合理的な世界観が必要だ」という、韓国の士大夫型知識人エリートにとってはもっとも頭の痛い命題を巧妙に回避できるのである。つまり、「北学の軸」という厄介な論議を排除できるのである。

なぜ「北学の軸」が厄介であるかというと、この軸には道徳的正統性がないからである。

朝鮮を侵略した清に臣従するという屈辱にもかかわらず、北学派は「清に学べ」というふざけた主張をした。これほどの道徳的正統性の欠如があるだろうか。朱子学的士大夫なら当然、「清に学ぶべきものはない。われら朝鮮のほうが道徳的に上である。なぜならわれら朝鮮こそ中華だからだ。野蛮で不道徳な清を伐たなくてはならない」という文明的な立場に立つべきである。……このような正統性の観念を、解放後の韓国の士大夫型知識人エリートも強烈に持っている。

類型として、北学派と親日派が同じパターンに属していることが理解できるだろう。野蛮な日本は邪悪にも朝鮮を侵略して支配した。それなのに親日派は日本を評価し、日本に学ぼうと考えた。これほど正統性・正当性の欠如した輩《やから》はいない。北学派を糾弾した執権党・老論士大夫の考えと、親日派を糾弾する解放後の抗日派の考えは同じ類型のものなのである。

北学派が唱えたのは、道徳的正統性に固執する朝鮮士大夫たちへの強烈な批判である。朝鮮経済は未発達のままで、民衆は塗炭《とたん》の苦しみを味わっている。それなのに士大夫エリートたちは清に対する怨恨と自らの儒教的文明の高さの自負に浸っている。正統性とはそういうものではないだろう。民衆の生活水準を上げ、それぞれの生業が発展するような政策を行い、国が繁栄することによってその政権の正統性が確保されるはずだ。……

しかし、このような発想は、原理主義的な朱子学的世界観からは「功利主義」といって厳しく糾弾されるのである。というのは、朱子学は徹底的な動機主義だからである。あらゆる行為はその動機の道徳性・純粋性こそがもっとも重要なのであって、結果が重要なのではない。結果がよくなることを目論んで行為をすること自体、動機の不純さを表わしているのだから、朱子学的にいえば間違っているのである。

だから正統性も、近代化を成し遂げたとか、経済発展をした、というような結果がもたらすものではない。あくまでも、正しいものを守り邪悪なものを排除するという朱子学的な道徳意識を動機とする場合にのみ、その行為者に道徳性があるといえるのだ。これが士大夫型知識人エリートの思考である。

儒教は本来、義と利の双方を全うする思想である。しかし原理主義化した朱子学においては、利ではなく義のみが強調されてしまう。

したがって、韓国左派の正統性観念も、朴正熙政権が韓国を経済発展させたという事実は一切評価せず、知識人や民衆がどれだけ邪悪なもの（日本、帝国主義、軍事政権、米国など）と闘って正義を守ったか、という動機の純粋性のみを評価するのである。となると当然、この立場からは韓国の正統性よりも北朝鮮の正統性のほうが高い位置にあると判断せざるをえなくなる。韓国は日本や米国に譲歩したり妥協したり売国的態度を示したりしてきたが、北朝鮮は一切そのようなことをせず、民族の主体性を固く守ってきたからである。北朝鮮の民衆が飢えているという事実よりも、帝国主義と孤独に闘っているという道徳性をより重視すべきだ、という考えである。韓国左派が北朝鮮につねに負い目を感じているのは、このためである。

なぜサムスンは高く評価されないのか

もちろん、韓国の世論を形づくっているのは、士大夫型の知識人エリートだけではない。テクノクラートや企業家、サラリーマンなど、韓国社会や経済の実質的な担い手たちのなかには、きわめてプラグマティックな世界観の持ち主が多くいる。いや、むしろ多くの韓国人は貪欲な利益・欲望追求型だといってよい。だから表面的にしか韓国人とつきあったことのない日本人は、「韓国人は道徳志向的だ」という命題に違和感を覚えるかもしれない。目の前にいる韓国人は実に率直な経済的利益追求・上昇志向型の人間が多いからだ。しかしそれは、やはり韓国人の表面を見ているにすぎない観察だといえる。

もっとも大きな問題は、大メディアやアカデミズムの人間に、「東学の軸」の信奉者、つまり道徳的正統性の信奉者が多いということである。したがって、メディアの報道やコラムには、道徳的正統性の言説が溢れている。この傾向はハンギョレ新聞などの左派メディアや左派学者において特に著しい。これに対して保守メディアとされる朝鮮日報、東亜日報、中央日報は、左派メディアに比べると「北学の軸」、つまり合理性や経済的利益の追求の軸も強い。だからこれらの保守メディアを見ると、日本に対する道徳志向的な糾弾とはまったく異なるあからさまな利益追求の言説に多く接することができる。だがこれらの保守メディアも、日本に対するとなると「北学の軸」を出すことはできないので、道徳的正統性の言説が中軸となる。日本人が韓国保守新聞の日本語ネット版を読んで混乱するのは、このためである。

先日、韓国の哲学研究者と話していたら、「サムスンこそ実学だと思う」という言葉が出てきた。サムスンはいわずとしれた韓国第一の大企業である。この企業の風土は、戦略のなさなのだとこの哲学研究者はいう。いや、サムスンという巨大グローバル企業に戦略がないわけはない。ただ、サムスンの戦略は、いまという時点で世界最先端の要素を、世界中のどこからでもいいのでなりふり構わず探し出してそれらを組み合わせて解とする、というものなのだそうだ。だからよい意味でいえば柔軟性が異様に高く、悪くいえば節操がない。しかしこのやり方が世界での競争に勝利しつづけているのは事実だ。サムスンに比べれば、ほかの企業はまだ社風や型や文化や伝統などにこだわっている。そんなものをすべてかなぐり捨てて、世界最高・最先端のものだけをひたすら追求するという究極の合理性こそ、ほんとうの意味の実学だ、と彼はいうのだ。

サムスンがもしほんとうにそういう企業なのだとしたら、それはここでいう「東学の軸」とは正反対のものであろう。道徳的正統性などというものには一切こだわらず、日本のものであれどこのものであれ、最高水準であればすべて取り込む。

韓国経済を牽引してきたのは、実はこのような合理精神、効率性追求、節操のなさ、正統性の否定なのである。しかしこの軸は、韓国の主流を占めている士大夫型知識人エリートからは忌み嫌われる。韓国経済の主役である大企業が、韓国の道徳志向的な風土において決して高く評価されないのは、このためである。

韓国にはこのような二重性がある。つまり、一方で自国の発展のために経済合理性をフル回転させて日夜汗水垂らして働いているひとびとがいるかと思えば、他方でそのような合理性を一切評価せず、ただひたすら道徳的正統性のみによってすべてを評価する士大夫型知識人エリートおよび市民がいる。

そして重要なのは、このふたつは決して分離しているわけではないということだ。特に韓国で近代が終わりポストモダンが始まったと認識された一九九〇年代から二〇〇〇年代以降、それまで「北学の軸」を柱としていたひとびとの心のなかにも、ひたひたと「東学の軸」が侵食し、表面上は合理性を追求しているように見えるひとびとも、実は内面的には道徳的正統性のほうが重要だと思考するようになった。それは、経済発展を成し遂げてしまったあとの韓国人が、自分たちの居場所としてもっとも心地よい道徳的な「故郷」に原点回帰しつつあるということなのだ。

これこそが韓国人の「士大夫化」という現象であり、士大夫化が左傾化となんら矛盾しない論理的理由なのである。

第四章

韓国人と日本人の政治観

1　国民と政治との距離

ガバナンスを持つ日本人、政治的な韓国人

わたしはかつて韓国に在住していたとき、一九八八年の盧泰愚《ノテウ》大統領誕生、一九九三年の金泳三《キムヨンサム》大統領誕生を経験し、また一九九八年の金大中大統領誕生時も韓国に滞在していた。これらの経験でわかったことは、政権交代というのは、そして特に韓国の政権交代というの

は、道を歩いているひとびとの表情やしぐさまで変えてしまうような根源的な力があるということである。もちろん強力な中央集権と強大な大統領の権力によって社会のすみずみまでが照射されてしまうような韓国社会における政権交代と、日本におけるそれを同じようなものとして把えるのは危険である。だが、二〇〇九年の民主党への政権交代によって、日本人も若干はその興奮を経験したといえるのではないか。

まがりなりにも国民の投票によって政権を交代させたという事実を語るときに、わたしの考えでは日本の事例と比較して考察する対象として最も適切なのは、アメリカではなく韓国なのである。その点で、二〇〇九年に日本のメディアが政権交代をほぼアメリカとの比較という観点のみで分析したのには、強い違和感を持ったことを覚えている。

日本に二〇〇九年の政権交代をもたらした原因はいろいろ挙げられるだろうが、わたしはひとことでいって「日本の東アジア化」だと思った。この動きは、九〇年代の後半に始まっていた、というのがわたしの考えである。

そもそも日本の庶民は、江戸時代には「ガバナンスを持つが非政治的」であるという特異な存在であったと考えられる。ガバナンスを持つというのは、要するに武士ではなく民衆レベルまで、（士）農工商それぞれの職分にしたがって、自らの生業の枠組み内での閉鎖的な自己統治能力を持っていたのである。しかしこの能力は、普遍的な知による政治的権力に支えられたものではなく、あくまで私的な「家業」が「天職」として超越的な価値と結びついているという自覚のもとに自己の職業に没頭する、という意味でのガバナンスだったのである。その意味でこれは、「政治権力なき職業的ガバナンス」といえるだろう。そしてこのようにひとびとが職業的ガバナンスを発揮したことによって、社会（特に都市部）に剰余価値が蓄積されるようになり、その恩恵に与《あずか》るひとびとはますます非政治的に自らの趣味や生活に埋没することができるようになったのである。

これに対して韓国の朝鮮王朝の場合は、庶民は「ガバナンスを持たないが政治的」であった、とわたしは考えている。「ガバナンスを持たない」というのは誤解を招きやすい表現だが、要するに自己統治の回路が閉鎖的に完結しておらず、つねに外部の上位者（朝鮮の場合は両班）からの統制を受けるし、またそれに要求したり反発したりするということである。

それは、朝鮮社会の儒教性に起因していると思われる。儒教社会において最も重要なのは、普遍的統治原理である「理」であるが、この理は両班という階層が主体的に担っており、しかもこの理の世界観によれば頭脳労働以外の身体労働に携わっている民はそれだけで完結せず、理の担い手によって統治されることが必要だとされたのである。頭脳労働以外の職業がそのまま「天」という超越性と直結しているという考えは一切なく、完結的なガバナンスを民が担うということはありえなかった。しかし逆にいえば、民は非完結性という理由からつねに両班という普遍的価値の担い手に向かって開放されている存在なのであって、そこから普遍的な「政治性」の風を受け入れることはできたのである。だから朝鮮の民衆は権力者の腐敗や不正に対する強い批判精神と、権力者への強い要求吐露の傾向を持っており、それを歌や演劇で直截的《ちょくせつてき》に表現した。伝統的な仮面劇やパンソリ（唄いの芸能）では、悪徳な両班や地方官僚を批判し揶揄するのが常套的《じょうとうてき》な手法だった。その意味できわめて政治的だったのである。これを「ガバナンスなき政治志向」ということができるだろう。

重要なのは、日本型よりも朝鮮型のほうが、より「正統的な東アジア型」だといえる点である。儒教的な統治構造を「東アジア型」政治文化ということができるとすれば、朝鮮のほうがあきらかにそれに近く、日本はそれから遠い特殊型である。

日本人の東アジア化

さて、日本は明治維新を経て大きな変化を経験した。それをひとことでいえば、「日本人の政治化」だったといえる。日本は中央集権と科挙を模した高等文官試験（一八九四年から一九四八年に実施）によって、政治価値志向的な社会へと急転回したのである。これを日本人の「東アジア化」と呼んでもよいであろう。「末は博士か大臣か」という世界観は、江戸時代には決してありえないものであった。福澤諭吉の考えとは反対に、「脱亜入欧」というのはたしかに「日本的な封建的世界観からの離脱」ではあったが、別の意味では「中央集権的な儒教的世界観への脱皮」であったという意味で、「東アジア化」だったのである。

しかし第二次世界大戦後、「五五年体制」のもとで日本人の多くは再び非政治化し、政治はすべて自民党と官僚に白紙委任するという状態に慣れきってしまうようになった。もちろんすべての日本人がそうなったといっているのではない。一九七〇年頃までは、政治をめぐってての争奪戦が与野党対決や学生運動、労働運動、反米闘争、共産主義運動などを通して活発に展開されたし、その後も自民党に投票しなかった多くの国民は「別の選択肢」を選ぼうとしてきた。しかし多数派はやはり、そのような「自己の政治化」を望まなかった。政治は自民党に任せて、自分は仕事や趣味や生活に埋没することができる「幸福」を享受することを望んだ。このような非政治性志向という意味で、昭和元禄以降の日本社会は再び江戸時代と同じく「反・東アジア化」したのだといえる。

これはこれでたしかに幸せなことだった。一日二十四時間、政治のことを考えながら生きて行かなくてはならないというのは幸せなことではない。幸せでないひとびとが政治のことを考えるのであって、生活が幸せだったら政治のことを考える必要は少しもない。……というのが昭和元禄から九〇年代までの日本人の多数派が漠然と思っていたことなのである。

しかし、九〇年代から再び日本人は政治化した。主体性を持って政治に参加すべきである、という考えが急速に強くなった。この背景には中国・韓国の台頭と北朝鮮の脅威があった。つまり「日本の政治化」＝「日本の東アジア化」は、端的に「東アジア問題」だったのである。このときに重要な役割を果たしたのが「右」側のひとびとである。日本人の主体化を唱えて中国・韓国・北朝鮮に対抗しようとした勢力は、それまでの霞が関の「非主体的」なガバナンスおよびそれに追従する政治家たちを批判し、新しい日本をつくろうと主張した。かつて福澤諭吉が「脱亜入欧」を唱えながら日本を東アジア化したのとまったく同様、九〇年代以降の日本の「右」もまた、中国・韓国・北朝鮮に対するアンチを唱えながら日本を東アジア化したのである。

それとともに、自民党が部分化した。それまでの五五年体制では、自民党と霞が関が日本の「全体」を担っていたのである。もちろん反対党や反対勢力はあったが、それらが単独で権力を握ったことはなかった。自民党と霞が関が国民からすべてを負託されていたのである。国民側は、自民党や霞が関を相対化するという意識は弱かった。ガバナンスに決定的な欠陥がないかぎり、多少の腐敗や不正があっても政権をまかせつづけた。

だが九〇年代以降はそうでなくなった。自民党と霞が関に決定的なガバナンスの問題があるということがわかった。小泉純一郎元首相が「自民党をぶっこわす」といって大喝采を浴びたのは、「自民党を部分化する」というプロジェクトとして国民に好ましく映ったのである。その結果二〇〇五年の総選挙では自民党が大勝したが、これによって逆に自民党はますますガバナンスの劣化を加速化したのである。「小泉チルドレン」たちの醜態と幼稚性、「小泉以降」の首相や大臣の自己統治能力の決定的な欠如に、国民は「こんな低レベルなひとたちが日本の全体を代表していると勘違いしていたこと」への反省を自己に加えたわけである。そして二〇〇九年の民主党大勝という流れになっていった。

政権交代というのは、このように、それまで「全体」を担っていた存在を、主権者が権力を行使して「部分」に縮小することである。五五年体制のもとで「日本＝自民党＋霞が関」という等式を「自然なこと」として漠然と認識してきた日本人が、そこから超出して日本社会の「残余」の部分に権力を付与したのである。

だが部分から全体に近づいた民主党は、その後すぐに統治能力に疑問符が付けられることになった。二〇一一年に起きた東日本大震災と福島原発事故への対処においては危機管理能力の著しい欠如をあらわにした。その後結局、民主党は日本国民から引導を渡され、再び部分に縮んでしまった。

2　朱子学化＝主体による序列化が進む社会

韓国社会と似てきた日本

一九七〇年代の終わり頃から一九九〇年代の中頃までの日本を知っているひとは、思い出していただきたい。学生運動が終わって、イデオロギーの時代が退潮し、「ジャパン・アズ・ナンバーワン」という掛け声が太平洋の向こうから聞こえてきた後にプラザ合意（一九八五年）があり、そしてバブルに突入して数年にしてそれが崩壊し、「失われた十年」が始まることになった。この二十年ほどの時期をどう評価するかは、それぞれの立場や歴史観、世界観などによって異なるにちがいない。また、世代によってもとらえ方は当然違うであろう。

思想的な観点からいうなら、この二十年（一九七〇年代の終わり頃から一九九〇年代の中頃）

は、日本がポストモダンという一種の幻想を享受した稀有な時代であった。わたしはいま、この時代思想に価値付与はしないことにしよう。「ポストモダン」という言葉を聞いて、眉を顰《ひそ》める向きもあろうし郷愁を感じるひともいよう。

感じ方はひとそれぞれでいいのだが、重要なことは、日本での「ポストモダン二十年」のあとにやってきたのは、「日本の朝鮮化」であったという事実である。別の言葉でいえば「日本の再朱子学化」である。

わたし個人は、ポストモダンに対して愛憎半ばする感情を持っているが、そのうちの「愛」のほうをいうなら、この二十年は「道徳」という二文字が日本社会からほとんど消え去ったという意味で、本当によい時代であった。またこの時期は、さしも長きにわたって日本社会を蝕んできた「序列化」という思想が弱体化した時期でもあった。あの「ゆとり教育」もこの時期に計画されたものだ。

道徳と「序列化」という桎梏《しっこく》から解放された日本社会は、想像力と創造力を全開にさせたから、中上健次や村上春樹、浅田彰や中沢新一、コムデギャルソンやウォークマンといった花々が咲き誇った。あの時代があと十年ほど続いたら、もしかしたら世界はもう少し変わっていたかもしれない。

しかしバブルの崩壊と北朝鮮のテポドンによって、日本社会はあっという間に変わってしまった。保守化とか右傾化などと呼ばれる現象が顕在化したのは九〇年代半ばであったが、一九九八年のテポドン発射、二〇〇二年の小泉訪朝と拉致問題のクローズアップにより、日本社会はなし崩し的にナショナリズムに浸食されることになった。左翼も無論黙ってはいない。従軍慰安婦問題や首相の靖国神社参拝問題、歴史教科書問題などによって左翼が息を吹き返し、左右両陣営で相互に「悪」のレッテル貼りの応酬をすることとなった。二十年の間あれほど忘却していた「序列化」の再登場であり、日本社会の全面的再道徳化であった。

左右両陣営ともその主張に正しい部分、首肯できる部分、ぜひとも実現すべき部分がたくさんある。それにもかかわらず日本では両陣営の闘争が非生産的で、互いに相手に対する全面否定にしかならないのには、理由があるのである。

それは右も左も、「朱子学的思惟」の持ち主たちだからだ。自分の頭で考え出したわけでもない、どこか外部の理念だか理論だか理屈だかと一体化することを「主体化」であると誤認し、その「主体化」の度合いによって構成員を「序列化」するという思考様式である。この場合の理念・理論・理屈がそのまま道徳であるというところもまた朱子学的であるし、その道徳と一体化できる人間こそが道徳的「主体」であると考えるところも朱子学的だし、より「主体化」できた人間がそうではない人間よりも道徳的に上位に位置していると考えるところも朱子学的である。

この「朱子学的主体」が社会に増えて道徳的な言説を撒《ま》き散らすようになると、社会のクリエイティビティは著しく低下し、ひとびとは自分が道徳的な序列の中でどこに位置しているのか、ということのみに関心を集中するようになる。そして不道徳的ないし非道徳的な他者を批判・誹謗《ひぼう》・蔑視するようになる。かくして社会には道徳という尺度だけが跋扈《ばっこ》するようになる。政治家も官僚もマスコミも若者も老人も右翼も左翼もすべて道徳的な欠陥者として軽蔑されるだけになってしまう。

これはわたしが八〇年代から九〇年代にかけて八年間暮らした韓国社会と酷似した姿である。最初に韓国と出会った八〇年代半ばは、日本と韓国は大きく異なった社会だった。韓国は軍隊・イデオロギー・儒教・ナショナリズムなどによってがんじがらめにされた道徳志向性国家であった。同じ時期、ポストモダン日本にはそのような傾向はほぼ皆無だった。しかし九〇年代半ば以降、日本もまた韓国社会と同じような道徳志向性国家になってしまったのである。

朱子学化に抵抗を示した三島由紀夫

　思えば七〇年代終わりから九〇年代半ばまでのポストモダンが、近代以降の日本においてはきわめて特殊な時代だったのであろう。というのは、明治以降の日本が歩んだのは、「遅ればせの儒教化」「朱子学的主体化」の歴史であったとわたしは考えているからである。江戸時代には朱子学が思想としては流布したが、社会システムとしては機能していなかったし、そういう環境においては変革主体形成理論としての朱子学は半ば意味がないのである。科挙も中央集権もない朱子学社会というのは形容矛盾である。

　日本は明治以降に、朱子学化した。これは中央集権化であったし科挙化であったし道徳志向化であったし性善説化であった。ひとことでいえば「主体化」による「序列化」なのだった（このことに関しては、拙著『朱子学化する日本近代』藤原書店、二〇一二で詳しく論じた）。

　日本近代を正確に理解するためには、「朱子学的思惟」とはなにかということを熟知する必要がある。朱子学というのは、丸山真男や司馬遼太郎などの近代主義者が簡単に切って捨ててしまえるような平板な思想体系ではない。もし彼らがいうような単純な構造物であるなら、なぜ中国や朝鮮の第一級の知識人たちがあれほどがんじがらめになってしまったのか。

前近代の中国や朝鮮の知識人は単細胞だったからであるのか。そうではないだろう。「朱子学的思惟」とは、「理」と「主体」を実に細かく動態的に階層化して、その差異の体系のすみずみまでを道徳的に「序列化」することにより統治のパワーを生み出すような思考である。

江戸時代の日本人はいまだにこのダイナミズムを知らなかった。明治に入ってからはじめて知った。それがよいことだったのか否かはわからない。価値判断をすることがわたしの役割ではない。わたしが正確に理解したいのはただ、明治以降に日本社会が再儒教化したメカニズムであった。

『朱子学化する日本近代』では、幾人かの重要な人物を取りあげてその思想を考察してみた。驚くことに、それらすべての人物が、「朱子学的思惟」というフィルターを通して見ると、これまでの評価とはまるで異なる相貌を見せたのである。

たとえば元田永孚《ながざね》は「教育勅語」成立にきわめて重要な役割を果たしたので、日本社会の儒教化というプロジェクトを強力に推進した側の人物と見られている。逆に福澤諭吉はその厳しい儒教嫌いの言説からわかるように、「儒教的徳川日本」を「近代的明治日本」に転換するために邁進した人物として考えられている。しかしそのような平板な理解では、明治という時代は永遠にわからないというのがわたしの考えなのである。元田は「教育勅語」において、明らかに日本社会の朱子学化に失敗しているのだし、また福澤は自らの朱子学的半身を徹底的に隠蔽しつつ「日本社会の朱子学化」というプロジェクトを進行させたのである。

それだけではない。丸山真男もまた自らの朱子学的半身を最後まで隠しとおした人物である。福澤も丸山も、「全身」が朱子学的だったのではない。あくまでも「半身」だけが朱子学的だったのである。そしてひとびとはこれまで、福澤や丸山の「反朱子学的半身」だけを見てきたのである。

逆に三島由紀夫は、明治以降の官僚制的な朱子学化に徹底的な抵抗を示した。彼の「天皇」というのは、そういう反明治的・反朱子学的な天皇の謂《いい》だったのだが、しかし「英霊の声」ではその反朱子学的天皇観は「道徳性」という衣を纏《まと》うことによって破綻《はたん》しかけてしまった。その綻《ほころ》びを滅するために、彼が選びえた道はただひとつだったのである。

もういちど整理するなら、次のとおりである。朝鮮は十四世紀末から、朱子学を思想的基盤として国家をつくった。国家を「ひとつの巨大な普遍的理念」によって統合的につくっていくという壮大な実験を、朝鮮は数百年のあいだやってきたわけだ。

これに対して、日本は江戸時代までは、そのような中央集権的な統合性を構築できなかった。明治になってようやく、ひとつの巨大な統合的理念によって国家をつくるという実験を始めた。だから日本と朝鮮（韓国）は隣国ではあるが、その思想的な歴史はかなり異なるのである。

その後も日本と朝鮮（韓国）は、国家の性格が接近したり離れたりした。たとえば日本で自民党から民主党への政権交代が起きたときは、政治における革命的なダイナミズムというものを日本国民も少しは経験した。これは日本社会の韓国化ともいえる動きと連動した変化だった。

要するに、本章でわたしが主張したかったことは、日本の政治や社会の変化を、日本一国の文脈や欧米との比較という文脈だけでなく、韓国との比較という文脈でとらえてみるならば、これまでとは違うかなり明確な分析が可能だということなのである。

第五章 日韓の軍事的関係を再考する

1 良好だった日韓の軍事関係

日韓関係がいまほどこじれにこじれているときに、日本と韓国が軍事的になんらかの良好な関係をつくることができる、などということは、幻想のように思える。

しかし、それは素人の考えである。

日韓関係の専門家のあいだでは、以下のことが常識となっている。

それは、二〇一九年に日韓関係が「戦後最悪」になるまえは、日韓両国のあいだのさまざまな関係性のなかで、経済と軍事のふたつが、もっとも良好であった、ということである。日韓のあいだで慰安婦問題や徴用工問題などさまざまな懸案がクローズアップされるあいだにも、経済と軍事に携わっているひとびとの関係性は、良好なままだった。それほど強い絆がすでに形成されていた、ということだ。

ただ、日韓関係の深層をあまり知らないひとたちは、不思議に思うのではないだろうか。韓国はかつて日本に併合され植民地にされてしまったわけだし、日本軍国主義・帝国主義に対しては徹底的に嫌悪し憎悪しているはずである。「日本軍」に関するもの・ことは韓国人の極度の忌避の対象だし、その一例として旭日旗はナチスのハーケンクロイツと同じような悪の表徴として声高に糾弾される。このような韓国におけるメンタリティから考えれば、日韓が軍事的に良好な関係を築いているなどということはありえないであろう。

たしかに世論調査を行っても、韓国人にとっての軍事的脅威は、中国でも北朝鮮でもなく日本である。安倍晋三氏に対する韓国での徹底的な反発は、「アベは日本の軍事大国化を狙っている」という認識にもとづくものであった。

しかしそのことと、実際の安全保障の現場における日韓の関係性は、かなり異なる。最先端の現場というのは、日本の軍国主義的な「悪イメージ」やそれに対する「嫌悪感」などというフワフワした主観性に依存できない、ハードでリジッド（厳格）な「事実」と「予測」というエビデンスにもとづいた諸決定の集積の場だからである。

ロッテホテル事件（二〇一四年七月、韓国のロッテホテルが、在韓日本大使館が主催する自衛隊創設60周年記念レセプションの開催前日に、「場所を提供できない」と通告）や韓国軍によるレーダー照射事件（二〇一八年十二月、韓国海軍の駆逐艦が海上自衛隊P－1哨戒機に対して火器管制レーダーを照射したと日本政府が抗議。両国の主張が食い違っている）のまえは、日韓両国の安全保障責任機関どうしの関係は非常に良好だった。この事実を、おそらく多くの日本人は知らないし、韓国人のほとんどは知らない。

本章では、日韓の軍事的な関係性を大きく変化させる転機であったイラク派兵の時期にまでさかのぼって、分析してみたい。いまとなってはイラク戦争というのは、大義もなにもない米国およびその追従国たちにとっての汚点でしかないが、だからといってこの戦争が安全保障の枠組みの議論において重要でなかったのではない。むしろ困難や失敗の過程において、国家も組織も重要なことを学んでゆく。そういう意味で、イラク戦争への加担のプロセスを再検討しなくてはならないのだ。もちろんここでわたしは、イラク戦争への自衛隊派遣、韓国軍派兵が正しかったとか間違っていたという話をしたいのではない。間違った戦争への加担は、加担した国家のその後のふるまいに重大な負担を強いる。そのような加担のプロセスをここで検証しておくことが、重要だと考えるのである。間違った戦争への加担についてその後記憶を消し去るかのように議論をしなくなってしまった日本の状況は、むしろかなり危ういと思う。

2 転機だったイラク派兵

イラク派兵時の韓国の対応

二〇〇三年のイラク派兵に関しては、日本も非常に苦悩したわけだが、韓国も同じだった。

韓国はいち早く、同年春に六七三人の第一陣を送り、十月には交替を経て十二月十日に四六六人の建設工兵・医療部隊を送っていた。これに特殊部隊を含めた三〇〇〇名の追加派兵をすることがすでに決定されていた。

同年十一月三十日にティクリート近郊で民間人が銃撃され、郭ギョンへさん（六十）および金マンスさん（四十六）の二名が死亡し、二名が負傷した。犯行は日本人外交官殺害と同じく、旧フセイン政権の情報機関であるムハバラトによるものと見られた。

この事態を受けて、韓国国内で派兵反対論が急速に頭をもたげた。若い世代を中心にした感情的反米勢力は当然、派兵反対を声高に唱えたのだ。

しかし尹永寛《ユンヨングアン》・外交通商部長官（当時）は記者会見で「今回の事件によって派兵問題は影響を受けない」と明言した。盧武鉉大統領（当時）も「北朝鮮の核問題など安保上の懸案を抱えている韓国としては、これまで以上に緊密な韓米関係が重要」と、追加派兵の強い意志を表明した。

マスコミも派兵再考の議論をすることはなかったし、各種調査でもむしろ「危険に対処できるよう、精鋭な戦闘部隊を多く送るべき」という意見が多くなったのである。

極めて感情的な派兵反対論

そのほか日本とは異なる事情が多々存在した。

船橋洋一氏は当時、次のように日韓の立場の相違点を整理している（『朝日新聞』、二〇〇三年十二月四日付）。

①日本は野党が派兵に反対だが、韓国は野党が賛成②日本では年輩層に反対が多く、韓国では若者が反対勢力の主力③日本の防衛当局は陸上自衛隊派遣慎重論、韓国の国防当局は最初から積極論。そのほか最も重要なのは、韓国は日本と違って「軍隊を歴《れっき》とした軍隊として派遣することができる」という点があったのはもちろんだ。

このうち①と②は、米国に対する姿勢の違いに起因する。

まず日本は与党が派兵賛成、野党が反対であったのに対し、韓国は野党がむしろ積極的に賛成であったのはもちろん、日本は与党の親米色が強く、野党の反米色が強いのに対し、韓国は与党（進歩勢力）の反米色が強く、野党（保守勢力）が親米であったためである。そもそも盧武鉉大統領は、二〇〇二年の韓国社会における激烈な反米気運に乗って大統領に当選し、米国とは距離を置く立場から出発した。しかしその立場は長続きせず、就任まもなく外交観を修正して米国に追随する方向性に転回したのである。

これを見て、若者を中心とした反米勢力が一転、盧武鉉大統領への失望を表明し、大統領支持率は急落した。

そもそも韓国の若者の派兵反対論というのは、「自尊心」というキイワードで語り尽くせる極めて感情的な考えであった。それをひとことでいうなら、「米国のいいなりになりたくない」というものだ。「なぜ力のない国は強大国のいいなりにならなくてはならないのか」という理不尽に対する道徳志向的な「恨《ハン》」である。

これはその当時、韓国社会の表層をリードしていたいわゆる三八六世代（年齢が三十代・一九八〇年代に大学在籍・一九六〇年代生まれ）にも共通した米国観であり、また盧武鉉政権に食い込んでいる少壮の左派政治家や学者も同じ米国観を持っていた。この左派人士がのちにさらに成長して、文在寅政権の中枢を固めたわけだ。

これに対して朝鮮戦争を知る年輩層は、北朝鮮への不信、米国への信頼という姿勢を明確にした。金大中大統領時代には一時的に南北和解ムードが韓国を覆ったが、米韓の政権交替とともにそのような「空気」は一気にしぼんでしまったのである。

歴史的に醸成されてきたアメリカへの不信感

この当時の韓国は、アジアの側にはいるのか、米国につくのか、瀬戸際の綱渡りをしている最中であった。大陸国家か海洋国家か、という選択である。盧武鉉大統領には「国家観」がない、あるいは稀薄だ、といわれつづけた所以《ゆえん》は、この「大陸国家か海洋国家か」というチャートにおいて明確なベクトルを打ち出しえなかったからである。特に親米を機軸にする保守層にとって、「大陸国家」のベクトルを志向すること自体、「国家観の欠如」とみなされた。盧武鉉大統領はその後「バランサー論」を打ち出すが、これは失敗した。

保守派の代表的な論客である康仁徳《カンインドク》・元統一部長官は、「第二次世界大戦後の韓国は、海洋国家に変化した」のだとし、大陸国家を志向する進歩勢力を批判した。

進歩勢力は保守勢力を「米国追従」と非難するが、それは正しくない、と彼はいう（『統一日報』、二〇〇三年十一月二十六日付）。

> 一九〇五年の桂－タフト会談で、米国がフィリピンを取り日本が朝鮮を取るとした秘密協定の事実、一九一九年のウィルソン大統領の民族自決宣言を信じて一九一九年、三・一蜂起（独立運動：小倉注）に立ち上がったが、米国は何もしてくれなかった事実、ルーズベルトが上海の亡命政府を認めず第二次世界大戦後「信託統治案」を出してきた事実などを我々は忘れてはいない。またアチソン宣言で「韓国は米国の防衛ラインの外にある」と主張し金日成とスターリンの南侵をもたらしたことや、一九七〇年代にもカーター大統領が「人権問題」を持ち出し、駐韓米軍一個師団の撤退を云々して国家の安全保障を脅かしたことも胸の奥深く刻みこんでいる。

しかし、同時に、「韓国五〇年の経済成長と安全保障が、米国との同盟によってもたらされた事実も認識している」といい、その厳然たる事実に対して無知、あるいは目を向けようとしない進歩勢力は理解しがたい、と康仁徳はいう。

逆に進歩勢力は、右のような米国の恣意的な態度にもかかわらず、なぜ懲りもせず追従するのか、理解しがたいと考える。いまや国力に見合った対米関係を構築すべし、というわけだ。イラク情勢の展開によっては、韓国における反米気運が再び一気に盛り上がることも大いにありえたのである。

このように、論点の内容自体は日本での議論と似ていたが、当時の政権のもともとの基盤が反米勢力である韓国と、そうでない日本との相違は鮮明であった。

「国益」「利益」に対する執着

そのほか、日韓の立場・姿勢の違いはいくつもあったが、以下の点が特に重要だと考える。

それは、韓国の場合、派兵賛成論者が多かったのだが、その理由として「国益」「利益」

というものを堂々と掲げるひとたちが多かったという点である。

北朝鮮に対する米韓安保の強化という国益がもちろん最も重要だが、日本ではほとんど表だって語られない国益論も、韓国では非常に熱心に語られるのが特徴である。

たとえば韓国では、「エネルギー安全保障」という観点からイラク復興に参加しなくてはならないとする論が目立っていた。将来の石油の確保という点で、中国と日本に遅れをとっているという強い危機感が背景にあった。

しかし国益はそれだけではない。まさに戦後の復興事業をビジネス化して得る利益すべてが、国の能力を傾注すべき課題だと考えられていた。

たとえばイラク派兵に関する政府合同現地調査団の一員である沈敬旭《シムギョンウク》・韓国国防研究院・研究委員は、次のように語った（『月刊朝鮮』、二〇〇三年十一月号）。

> 今や十九世紀的な植民地争奪戦は起こりえない。したがって軍事大国は、紛争が起きれば全世界どこへでも多国籍平和維持軍の名目で兵力を投下し、紛争終結に寄与した戦果と同じだけ、再建事業のパイを手に入れる。今後世界では、多国籍作戦（ＭＮＦ）や国連平和維持活動（ＰＫＯ／ＰＫＦ）にどれだけ積極的に参加するかによって、強大国の

順位が決定する。これらの国家の軍隊は、自国の領土を守るだけの消耗的な組織ではなく、砂漠を越え大洋を渡って国益を創り出す前衛隊としてのアイデンティティを固めようと備えている。

そして「派兵費用の八五％は再び韓国に戻ってくる」という。派兵費用のうち七〇％は人件費だが、兵士一人当たり一四〇〇ドル支払われる月給は現地でほとんど使われず、韓国に還流する。車両やエアコンも大部分が韓国製なので、結局派兵費用の八五％は韓国内に再投資されている計算になる、という。

このような「利益」優先の意見は、韓国のインターネット上に頻繁に現れていた。「人道」「援助」という耳に心地よい戦後日本的タームですべてを語ろうとした日本の議論とは、相当にトーンが異なるのである。「相手のために」はもちろん重要だが、それが「われらのために」ならなければ意味がない、という姿勢がきわめて明確なのである。日本でこのような生々しい議論がされることはほとんどありえないことを考えれば、日韓の姿勢の違いは鮮明である。

右のレポートでも、砂漠の真ん中に設営している米軍の食堂にはいってみたところ、それが一万人を収容する巨大なもので、しかもケロッグ・ブラウン&ルートという民間企業がそれを経営し、メニューも豊富で素材も新鮮であることに驚いている。これこそが新しい戦争であり、国益であり、私益なのだ、というのである。

ティクリート近郊で襲撃されて死亡した二人の韓国人が、民間の技術者であったことに注目したい。彼らは韓国のオーム電機社社員で、米国企業の下請けとして送電塔の補修工事のためイラクで働いていた。このようなひとたちがイラクには多数はいりこんでいるが、韓国政府はその数を把握していない。実際は当時、六百数十名の韓国人がイラクで仕事をしていたと見られているが、政府が把握しているのは六十数名にすぎなかったのである。政府に申告をすれば却下される可能性が高いので、秘密裡に入国して仕事をしていたわけだ。

このように韓国人は、危険な地域にも仕事を求めてはいりこむ。それ以前にも、二〇〇三年八月にはイラク駐在のＫＯＴＲＡ（大韓貿易投資振興公社）が武装勢力に銃撃を受け、また大宇インターナショナル事務所に武装した強盗が侵入して銃撃戦になり、さらに現代建設社長がバグダッド近郊の道路で強盗に一五〇〇万ドルを奪われるという事件があった。このようなリスクを犯しても、企業活動はやめないという強い意志が韓国人にはある。

思い返せば日韓Ｗ杯サッカー大会のときも、韓国人は「利益」ということを盛んに口にしていたものだ。この大会は韓国の国力を世界に明示する絶好の機会であると同時に、さまざまな経済的利益を得ることのできる舞台である、とマスコミで盛んに唱えられ、国民からもそのような声がよく聞こえてきた。

ここには、儒教社会における道徳観というものが如実《にょじつ》に現れている。すなわち、儒教的道徳といえば利益を排除するものと考えられがちだが、それはまったくの誤解であるということだ。義と利の双方を全うするのが、儒の本来の理想なのである。

それは、儒教のなかでもっとも厳格な道徳主義・動機主義を打ち出す朱子学においてでさえ、そうなのだ。義だけを追求して利を捨てたら、そもそも儒教でなくなってしまう。儒教は現実の政治・行政を正しく行うための思想なのであって、修道院の思想ではないからだ。ただ、たしかに朱子学は、儒教のなかでも義を強調し、利に対しては厳格な思想である。しかし、第三章で語った「北学の軸」は、同じ儒教でも朱子学よりずっと功利主義的である。この軸が前面に出るとき、韓国人は義とともに利を臆面もなく語ることを躊躇《ちゆうちよ》しない。そのような儒教的世界観に鍛えられた韓国人の感覚と、戦後日本人の「きれいごと絶対主義」の感覚はだいぶ異なる。

W杯においても二〇〇三年後のイラク復興支援においても、韓国の議論に比べて日本の議論が「宙に浮いている」感をぬぐえなかったのは、このためである。

たとえば故・岡本行夫氏はこの当時、自衛隊のイラク派遣が果たす、国際社会における「象徴的意味」の重要性をさかんに説いた。この場合の「国際社会」とはすなわち主に米国を意味するが、日本の議論はやはり生々しくなく、上品であった。「象徴的意味」とは米国にとっての意味なのであり、主体が日本ではない。日本にとって利益はなんなのか、という生々しい説明が圧倒的に欠如していたのである。

これをもし「リアリズムの欠如」と呼ぶなら、小泉首相をはじめとする日本政府の言説には、やはりリアリズムが欠如していたといってよい。翻ってヴェトナム戦争に延べ数十万人の派兵を行ったときの朴正熙大統領などは、リアリズムの権化であった。まさに生きるか死ぬか、存続か滅亡か、というぎりぎりの瀬戸際において国民を説得するためには、大義（義）と国益（利）を最大限に利用するしかないではないか（ただし朴正熙政権はリアリズム一辺倒だったから、朱子学的なメンタリティを持つ野党の政治家や在野の民主化運動家たちからは徹底的に嫌われた）。日本人は戦後、そういう生々しい言説を徹底的に排除してきたのである。

憲法九条の存在が知られていない

これまで見てきたように、日韓の間ではイラクに向き合う姿勢がかなり異なっていた。しかし共通するものが一点だけあった。それはいうまでもなく、北朝鮮の脅威である。日本外務省は、米政権内で北朝鮮攻撃に意欲的なネオコンの意図を阻止するために、パウエル国務長官およびアーミテージ国務副長官の立場を強化する立場に立たねばならず、そのためにイラク開戦をいち早く支持したという（『毎日新聞』、二〇〇三年十二月十日付）。北朝鮮の脅威に対処するためにというより、北朝鮮を攻撃しようとする米国政権内勢力を牽制するためにイラク戦争に巻き込まれたというのは、日本が完全に米国政権内の力関係に振り回されていたことを意味し、非常に残念なことである。

しかし北朝鮮の脅威自体が当時もいまもそこに現前することは、まぎれもない事実である。本来は反米的な盧武鉉政権が米国に完全に追随したのも、結局は北朝鮮の存在のためであった。

重要なのは、このような共通の課題が明確に日韓に与えられたのは、このときが初めてであったということであり、そのために戦後ずっとタブーとされてきた日本の自衛隊をめぐる議論が、このとき一気に流動しはじめたということである。

自衛隊の存在自体にあれほど神経質的な拒絶的反応を示しつづけてきた韓国が、その態度を豹変《ひょうへん》させたのは金大中政権時代のことだったが、イラク派兵のときには、自衛隊の海外派遣決定の報に接しても、韓国の政府・マスコミはほとんど大きく取り扱わないほどにまでなった。金鍾泌《キムジョンピル》・韓日議員連盟会長は十一月二十五日に小泉首相と会談し、「危険なところに軍隊を出さないで、どこに出すというのですか。安全なところなら軍隊を出す必要はない」といったという（『毎日新聞』、二〇〇三年十二月十日付）。

韓国政界におけるこの変化はもちろん、単に「日本に対する無知と無関心」に起因するものではなかった。だが一般の韓国人は、やはり無知なままだった。それまで韓国人のなかには、日本に憲法九条があることすら知らずに自衛隊に対して過剰な拒否反応を示していたひとが多かった。韓国の大学の外交関係の授業に出席した日本人学生によれば、教授は日本の軍事大国化・軍国主義化のみをことさらに強調して、日本の憲法に関しては一切言及しなかったという。これがこの当時の大方の現状であったろう。一九九〇年代までは、無知な韓国人に憲法九条を説明すると、「へえ、そんなものが日本にはあるのか。それじゃあなにもできないいじゃないか」という拍子抜けするような反応が返ってくるのが常だったのである。イラク派兵の際も、日本の実状に関して熟知した後の反応というよりは、一般的には、「日本も立場上仕方ないのだろう」という消極的反応がほとんどだったと推察する。

日本はイラクへの自衛隊派遣を契機にして、韓国社会に対し、憲法九条の存在をあらためて説明し、日本の苦渋の立場をあからさまに示すことが必要だった。そして「日本は既成事実の積み重ねの上になしくずし的な憲法改正を目論んでいるのだろう」という、少しものを知っている韓国人が持っている疑心としっかり向き合う必要があったのである。すなわち日本国内には護憲派と改憲派の劇《はげ》しい対立があり、それぞれの論点はかくかくしかじかであり、それがイラク戦争のような事態においていかなる国内論争を呼び起こしたのか、あわせて日本において憲法というものの重みが韓国とは比べものにならないほど大きい、ということをわかりやすく説明する必要があったのだ。そうすれば必ず、護憲派だけでなく改憲派に対しても韓国人は一定の理解を示すに違いなかった。しかし、日本政府はその絶好の機会を無為のまま逃した。

最も危険なのは、韓国人が憲法九条を知らないまま日本の軍国主義化を忌み嫌うこと、また少しものを知っている韓国人の場合、日本人は総意として「卑怯な方法で」憲法改正を目論んでいると考えていること……このような状況を放置しておくことなのである。

3　日韓　軍事的な連携の可能性

日韓関係は「擬似同盟関係」

著名な国際政治学者であるヴィクター・D・チャ氏は、新鮮なモデルによって日米韓の関係を説いて見せた（『米日韓　反目を超えた提携』、船橋洋一監訳・倉田秀也訳、有斐閣、二〇〇三）。

彼は日本と韓国の関係を、「擬似同盟」関係と規定した。これは、「同盟関係にはないが、共通の第三国を同盟国として共有する」関係である。「共通の第三国」とはいうまでもなく米国である。擬似同盟関係にある両国は、「見捨てられ」と「巻き込まれ」という二つの懸念によって政策的決定を行うとチャ氏はいう。「見捨てられ」とは、「同盟国（米国：小倉注）が同盟関係から離脱するのではないか、あるいは支援が期待される有事に実際には支援を提供しないのではないかという懸念」であり、「巻き込まれ」とは「同盟国（米国：小倉注）へのコミットメントが最終的には安全保障上の利害を損なうのではないかという懸念」である。そして「見捨てられ」懸念が日韓の間で対称的である場合、歴史的反目が存在していても日韓関係は協力的なものになる、という。これに対して「見捨てられ」／「巻き込まれ」の懸念が日韓間で非対称の場合には、日韓関係は軋轢《あつれき》を生じる、という。

二〇〇三年時点の日韓関係は、あきらかに「見捨てられ」／「巻き込まれ」双方の懸念が対称的になっていた。イラクに深く関与しないかぎり、北朝鮮問題に関して米国からの支援が期待できないのではないかという懸念を、日韓が共有していた。また同時に、イラク戦争へのコミットメントが最終的に安全保障上の利害を損なうのではないかという強い懸念も、日韓が強く共有していたわけだ。

盧武鉉政権は当初、このような「擬似同盟関係」を嫌って「大陸国家」への道を歩もうとした。しかしその試みは早々に修正を余儀なくされた。逆に小泉政権は米国との同盟関係強化にのみ熱心で、日韓の「擬似同盟関係」にはさしたる関心を払っていなかった。しかし米国との関係のみに執着すれば、それだけ自らの活路を狭めるだけだということに、早く気づくべきであったろう。

皮肉ともいえるが、両国首脳のまなざしの方向とは逆に、イラク戦争時の日韓はかつてないほど国益を接近させていたのである。

日本と韓国の国益が接近した

この当時、自衛隊のイラク派遣に関する日本国内の議論を見ていて、わたしが不満に思うことがひとつあった。それらの議論がすべて日本の「一国」の枠内でのみ進行していたことであり、他国との連帯あるいは連携という視座が皆無だった点である。

たしかに政治的決断は一国単位でなすものだ。国によって法体系も異なれば大義も国益も能力もすべて異なる。アーミテージ米国務副長官（当時）のいったように、イラクはお友達どうしの「お茶会」の場所ではなかった。それは対テロリストだけでなく、それぞれ異なる国益を追求してリスクを背負いに来ていた「有志連合」の間でもいえることである。

しかし、連帯ないし連携という視座を忘れてしまえば、米国の思う壺となるだけであった。特にアジアにおいては、米国の戦略のひとつが「各国の連帯を妨げる」ことにあったわけで、その戦略に乗ったまま米国追随路線だけを追求することは、米国の利益のみに奉仕するだけでなく、アジアの良き関係にとっても傷となるということに早く気づくべきだったのだ。

たとえば「国際的枠組みの構築」という大きな視野においては、日本がフランスやドイツなどを説得し、連携を強化するという方向性は、米国を支援する上でも牽制する上でも重要だったはずだ。その意味で、日本外交の多角的・重層的な戦略性がいつになく厳しく問われる局面になってきたのがこのイラク戦争の時期だったのだ。

それと同時に、アジアに対しても、連携と連帯を模索する道があったはずだ。

そこに出てくるのが、韓国である。前述したように、これほど日本と韓国が互いに国益を接近させたことは、過去に例がなかった。それにもかかわらず、日本の論者の中には、韓国との連帯ないし連携を唱えるひとがまったくいなかった。客観的な韓国の立場の参照、という程度の言及にとどまっていた。

日韓の連帯ないし連携といっても、それは全面的なものでは無論ない。

また、「仲良しクラブ」のようなものでないのも言を俟《ま》たない。韓国が「日本に先を越されてはならない」と競争意識をあからさまにしていたのを見てもそれは明らかだ。自衛隊のイラク派遣決定を受けた韓国の反応は、「国益確保の面で日本に遅れをとってはならない」というものが大きな部分を占めたのである。

日韓の「第三の道」

このような国益のぶつかりあいの中で、日韓の連帯ないし連携とはいかなるものなのか。

それは、国家と国家、政府と政府の全面的連携という次元のものではない。

そうではなく、両国の内部に多様に存在する意見の連帯ないし連携なのである。

韓国にもイラク派兵反対派がたくさんおり、日本にも自衛隊派遣反対派がたくさんいた。この両者が連帯ないし連携すべきだったのである。また韓国にも、日本の自衛隊の役割を重要視し、憲法改正に理解を示す論者がおり、日本にも当然いる。この両者が連帯ないし連携すべきなのである。

韓国の大陸国家論者と日本の東アジア共同体論者が連帯ないし連携する。韓国の海洋国家論者と日本の対米関係重視論者が連帯ないし連携する。

それぞれの国での国論は四分五裂の様相を呈するが、それを孤立した一国家内の自慰的議論で消耗させず、国際的な広がりを持たせる。そのことによって、日韓は共通の議論の「舞台」を創出することができる。

そしてそのような議論の場に米国を巻き込むことによって、「米国と日本」、「米国と韓国」

という同盟関係においては発想しえなかった「力」を日韓が得ることになる。一国のなかだけで国論が分裂している状況よりも、強固に鍛えられた東アジアの多様な思想の選択肢を準備しておくほうが、有利であるからである。そしてこの「力」によって米国を牽制し、東アジアにおけるイニシアティブの一部を日韓が獲得することになる。

このような議論を経ることによって、日本は「神学論争」から抜け出、自らの国家観を鍛えることができるようになるだろうし、東アジアにおける〈知〉の枠組みも大きく変えることになろう。これまでのような自閉的な議論でなく、新しい世界構築に向かって開かれた〈知〉を構築しうるであろう。日韓がこれまでのように「国家」と「国家」として対決したり妥協したりするのではなく、互いに批判的な議論を繰り返しながら、「第三の道」を見出してゆくべきと考える。

それは同時に、「右」か「左」か、という二者択一の国論からの脱出であり、「米国追随」か「感情的反米」しか採る道のない状況からの脱却である。そしてその道の延長線上には、米国、欧州と肩を並べるアジアという像が浮かび上がっている。

わたしは韓国専門家であるから、歴史的経緯も含めて、日韓がそのような「第三の道」を目指すことの困難は充分に承知しているつもりである。しかし、好むと好まざるとにかかわらず、現在、日本がアジアで手を組むことのできる相手は韓国しかありえない。資本主義の成熟度、国民の生活水準、文化的内容……これらの尺度から考えても、日韓は両国国民の表面的イメージとは異なり、実はかつてないほど共通性を持ったのである。

第六章

北朝鮮というファクター

1　北朝鮮に引け目を感じる韓国人

北朝鮮に心理的に対抗する力がない韓国

北朝鮮の金正恩《キムジョンウン》朝鮮労働党委員長がトランプ米大統領と二〇一八年六月（シンガポール）、二〇一九年二月（ハノイ）の二回、首脳会談に臨んだことは記憶に新しい（そのほか二〇一九年六月に板門店でも会っている）。そしてその会談の実現に韓国の文在寅大統領が絡んでいたことも、明らかになっている。

韓国のことを考えるうえで、北朝鮮というファクターをどのように位置づければよいのか。

北朝鮮は南を併呑《へいどん》する形で朝鮮半島を統一したいのか、自分たちの体制さえ保証されればいいのか。そこがきわめて重要なポイントだが、それがわからないから、周りの国はいろいろな臆測でしか行動できない。

しかし彼らの究極の目的が自分たちによる朝鮮半島の統一だとしても、それを一気にできる状況にはもちろんない。朝鮮半島を一気に共産主義化することは不可能だが、緩い形の連合国家をまずつくってから、両国民がどういう体制を求めるのかを決めようということなら現実味がある。金日成主席、金正日《キムジョンイル》総書記のときには、自分たちが統一するのだという目標を強く掲げていた。だがいまの金正恩委員長は、体制の保証が第一の狙いだと考えていい。

ただ、韓国側からすれば、安全保障の問題があるから、相手のいっていることが本当にそうなのかはもちろん信じられない。しかも、韓国の保守や日本の中にも、今の韓国の左派政権は北朝鮮に寄り添いすぎて、結局は併呑される結果を招いてしまうのではないかという不安が強くある。「文在寅政権が自らそれを求めている」とまで極端なことを主張するひともいるし、臆測が飛び交ってむずかしいところだと思う。

そもそも韓国に左派政権が登場した背景として、北朝鮮からの影響があるのではないか、北朝鮮は武力を使わなくても、世論操作によって、いともたやすく自分たちの要求や欲望を実現させているのだともいわれている。文在寅政権の成立は韓国人の選択というよりも、北朝鮮に迎合する「従北勢力」「主体《チユチエ》思想派」という陣営が北の影響を受けながらやってしまったことで、本当の韓国人全体の意図とは違うという見方もある。

北朝鮮の核問題も、非常に重要なポイントである。

北朝鮮が核を保有するのは体制の保証のためだと考える立場もあるが、「統一のための核」だというひともいる。北朝鮮が韓国に攻め込んでいくには、もちろん核は必要ないのだが、北朝鮮という国家の軍事的なプレゼンスを世界中に示す上では、非常に象徴的な意味が核にはある。結局は韓国人も、核を持った北朝鮮に長い目で見ると丸め込まれていくだろうともいわれていて、そういう意味でも「統一のための核」というわけだ。

いまの韓国人のメンタリティーとしては、北朝鮮に対抗できる心理的な力はもうほとんどないとわたしは見ている。武力攻撃もちらつかせながら、自分たちの意図を貫徹させたいと北朝鮮が本当に決心したときに、これに対して韓国が軍事力を行使しながら、北と一戦まみえるという選択肢が取れるかどうか、わたしは非常に疑問視している。

　韓国もポストモダン社会になっている。日本に近い社会といってよい。若者は特にその傾向が強い。それに対して北朝鮮は、段階的に、小出しにいろいろなことを試してきた。二〇一〇年十一月には南北境界線に近い韓国北西部の延坪《ヨンピョン》島《ド》に攻撃を仕掛けた。その年の三月には韓国海軍の哨戒艦「天安」を沈めた。二〇一五年八月には、北朝鮮が非武装地帯に埋めた地雷で、韓国の若い軍人が傷ついたこともある。こういうことをしながら、一体どのくらい韓国に戦意、戦う意欲があるかを北朝鮮はずっと測ってきたのだと思う。

　いずれも韓国側に戦意はなかった。事を構えたくないという方向性にしか動いていかなかった。地雷による負傷問題では北朝鮮に謝罪を求め、軍事境界線越しに北朝鮮を非難する拡声器放送を再開したのだが、結局はその程度のことしかできなかったのである。北朝鮮が、韓国人はもう軟弱になっていて、北朝鮮に精神的に対抗できる力はなくなってきていると踏んでいることは明らかだと思う。

　だから、こういう精神状況のなかで文在寅大統領がやってきたことも、ある程度合理的なのだとは思う。戦争をしたいひとは、軍人を除いてはもうほとんど韓国にいない。完全に国民の意識が変わってしまった。北朝鮮に寄り添ったような態度を示す文在寅氏は、自分の国の心理的な立場をよくわかっているのである。

韓国人も引き付ける「主体思想」

北朝鮮に魅力があるとすれば、主体（チュチェ）思想こそがその魅力の源泉、根源であると思う。北朝鮮の「魅力」といえるのは、はっきりいえばそれしかない。

主体《チュチェ》思想というのは、北朝鮮の根本思想である。もともとは、ソ連と中国のあいだにはさまれて北朝鮮が自主性を失いかけたとき、外交的な立場として金日成が自国の主体性を打ち出したことに由来する。朝鮮戦争休戦後のことである。その後、この思想は人間中心的な哲学の土台を磨いて、革命道徳で武装した人間こそがすべてを決定する主体《チュチェ》であると主張する。特に現実的な外交において米国や日本に対して強く抵抗するという姿勢を堅持する。悪の帝国主義に抵抗すること自体が、もっとも高い道徳なのである。

北朝鮮の経済は破綻しているし、政治のやり方も他国がお手本にできない。けれども主体思想というのは、特に韓国人にとっては、従北勢力や主体思想派でないひとでも、道徳志向的なひとにとっては魅力的に感じるのである。左派の文在寅政権が誕生してからずっと、韓国人のメンタリティーが北に引っ張られたのは、根源的にいうとそこである。韓国の歴代保守政権の一番弱いところが自主性だったと認識された。やはり日本問題なのである。韓国の保守は日本に妥協した、それに対して北朝鮮は妥協しなかった、ということである。そこは韓国人のメンタリティーからいえば、北朝鮮の方に国家の正統性があるのではないかということにつながってしまいかねない。

もちろん韓国人であるから、国家の正統性は大韓民国にあるという思いは、はっきりと持っているが、こころの奥底の方では「日本にあれだけ突っ張った態度を取れる北朝鮮は偉い」という気持ちを持っている。北朝鮮は主体思想を捨てないし、主体思想を捨てたらもう北朝鮮はなくなるわけである。

ただ、主体思想の中身を変えることはできる。つまり主体思想は反帝国主義であるけれども、トランプ大統領の時期に、北朝鮮はアメリカに接近した。米帝に接近したわけである。米帝は「悪魔の帝国」だったわけであるから、それに接近する理由としては、米帝が変わったのだという説明の仕方しかない。「米帝は帝国主義の侵略者だけれども、われわれのことを理解して、われわれの発展を助けようとやってきたのだ」という形でしか説明ができない。「アメリカがわが国に対する態度を変えてきた。わが国があまりにも思想的に強固で、帝国主義に対して世界でもっとも抵抗する強国であるから、われわれに従おうとしてやってきたのだ」という説明しかできない。ただ、それは国民への説明であって、金正恩氏とその周りが求めているのは、もちろん北朝鮮の体制保証と経済発展である。

2　北朝鮮とアメリカ、北朝鮮と中国

平壌の遊園地

北朝鮮にとって核は主体思想の権化のようなものだから、それを捨てるわけはない。

韓国がまた、その核にあいまいな立場を取っている。「非核化」と言葉ではいいながら、南北が統一されたときには、あわよくばその国が「核武装の韓国」になるかもしれない。そういう淡い期待みたいなものを残している。だからますます厄介である。

そこが日本としては一番危険なところだし、韓国のあいまいな態度に対して、それは危険だといいつづけなければならない。

もし南北統一後も朝鮮半島に核があり、中国にも核があるという状況になれば、日本の世論はきわめて敏感に反応するだろう。

アメリカも「日本の防衛は日本が自分でやれ」という方向性を示したならば、当然日本でも核武装しようという動きが生まれてくるだろう。

逆に、北朝鮮にもし非核化に近い動きが生まれるとしたら、それはアメリカが常識はずれなレベルの譲歩をしたときである。

トランプ大統領のときのポンペオ米国務長官は、かなりのレベルのことを北朝鮮に対して語ったと推測される。「あなた方がこれから平和国家としてやっていく上で一番重要なのは、国の魅力を高めて経済発展することでしょう」という提案だ。東アジア全体にとって都合がよいのは、北朝鮮がそのような方向になっていくことである。

わたしは自分の娘を平壌に連れていって、遊園地に一緒に行ったことがある。これがすごくおもしろい。ジェットコースターみたいなものがたくさんあって、イタリア製とのことだった。わたしたちが遊園地に行った日は平壌のどこかの地区から、多くの勤労者が遊びに来ていた。何万人もの勤労者たちであふれていた。社会主義の考えで、勤労の後には良い娯楽を与えるということが徹底されている。遊園地は観光客のためだけでなく、北朝鮮のひとたちのために必要なのである。そういうことを金正恩氏はうまくやっているのだ。その路線で、外国からの観光客を集めることもできるはずだ。

金正恩政権と軍が駆け引き

金正恩氏は、スイスに留学していた。だから資本主義のこともよく知っている。そこが父親や祖父とは違うところである。いまの金正恩政権の中核は合理主義者たちの集まりである。二〇一二年の政権発足以来、父親の時代に勢力を誇っていた古い世代の利権や権力を引き剝がし、新しくて合理的な、グローバル志向の若いテクノクラートが権力を握る方向性に、ずっと向かってきている。

だから、そこにだけ注目して見ると、トランプ大統領が提案したいろいろなアイデアは十分受け入れる余地があるし、核に関してもある程度譲歩しようという方向性に向かう可能性はあった。ただし、完全な放棄までは、もちろんいかない。軍もそれは許さない。「何十年もかけてわれわれの血と汗でつくり上げたものだ。どうしてアメリカ帝国主義のいう通りにするのか」となる。

軍としては、極端にいえば別に金親子の血筋が続かなくてもいいわけである。抗日パルチザン活動から生まれ出た、世界でもまれに見るすばらしい国家を存続させる。それが軍の根本的な目標であり、そこには利権がたくさんはいってくる。血統（正統性）か、利権か、ということになれば、利権を重視することもありうる。究極的にいえば、金正恩を除去してもいいという方向になりうる。軍部は武力を持っているから。

金正恩氏とその周囲としては、それはもちろん絶対に受け入れられないから、「白頭《ペクトウ》の血統」といって、血統の神聖さで目くらましをしている。だが、いつそれが転覆するかはわからない。軍部と党との間には猛烈な駆け引きがあり、そこにアメリカはおそらく目をつけていて、金正恩氏の方にたくさんの餌をばらまいたのだと思う。

北朝鮮と中国の関係

北朝鮮という国の成り立ちからいうと、中国を尊敬はできないはずである。朝鮮戦争のとき中国に助けてもらったわけだが、その前を見てみると、金日成などのパルチザン勢力が自分の党を持てなくて中国あるいはソ連の下で遊撃隊活動をしていたという過去があり、中国に対しては屈辱的な思いを持っている。そういう思いが根本にある。朝鮮戦争のときに助けてもらったことを強調するのは、中国との良好な関係を保つための一種のスローガンみたいなものであって、本心では中国に軽蔑されたくないという気持ちの方が強いだろう。それがいまだに続いているのである。

だから彼らとしては、中国を利用の対象と見ている。中国のことを信じてもいないし、あまり接近しすぎるとどうなるかもよくわかっている。中国は中国で、もちろん北朝鮮は利用対象のひとつである。そのような、結構乾いた関係なのである。

3　韓国と北朝鮮は完全に対称的なのか

国名に「民主主義」がはいっている理由

北朝鮮の正式名称は、「朝鮮民主主義人民共和国」である。中国の正式名称である「中華人民共和国」との違いは、国名に「民主主義」という語がはいっている点にある。このことは、実は意外に大きな意味を持っているのだが、ふだんわたしたち日本人はあまりそこに注目していない。北朝鮮の国名に「民主主義」がはいっているのは、なにか質の悪い冗談であるか、あるいは羊頭《ようとう》狗《く》肉《にく》の政治的スローガンにすぎない、という程度の認識しかないだろう。

話は一九四八年の韓国、北朝鮮の建国に遡《さかのぼ》る。すでに激烈な闘争の様相を呈していた冷戦構造のまっただなかに誕生した両国であるし、実質的にそれぞれ米国とソ連の強力な影響下に成立したという事情もあって、それぞれの国にとってもっとも重要な政治的立場は、韓国は自由（反共）、北朝鮮は共産主義であった。だがここにすでに、両国の非対称性が露呈している。つまりこの両国の思想は、ふつうに考えられる典型的な対立軸、すなわち「資本主義vs共産主義」あるいは「自由民主主義vs独裁」というきれいな対称性を形成していなかったのである。

ここには、次のような事情があった。

韓国の李承晩《イスンマン》・初代大統領（任期一九四八～六〇）はもちろんごりごりの反共主義者であったが、同時に、一八七五年に没落両班の家系（しかも朝鮮王朝の王家である全州李氏の一門）に生まれた儒教的な教養の持ち主であった。この当時の儒教的な朝鮮知識人はおおむね産業・技術・商業などを極度に蔑視し、資本主義を単なる「強欲な金儲けの思想」としか理解していなかった。つまり李承晩は反共主義者であったが、資本主義の擁護者ではなかったのである。資本主義に対する深い理解もなかったため、彼の執権時期に韓国経済はほとんど発展していない。おまけに当時の韓国人たちの多くが、資本主義を弱肉強食の悪の思想とみなしていた。これは当時の意識調査の結果にはっきりと表われている。

また、北朝鮮の金日成・初代最高統治者（建国当初の地位は初代首相）は抗日パルチザン出身のごりごりの共産主義者であったが、同時に、「日本によって自由と民主を徹底的に奪われた朝鮮人民が自主性を自力で獲得しなければならない」と考える理想主義者でもあった。もちろん西洋資本主義国家におけるような自由と民主主義ではないが、一応理念上では、北朝鮮は自由と民主を否定しなかったのである。資本主義ではなく社会主義こそが自由と民主を保障する思想だというのは、当時は珍しい考えではなかった。

北朝鮮が真の意味での独裁的国家になるのは、一九七二年に金日成が国家主席となって党と軍を完全に掌握してからである。もちろんその後現在に至るまで、北朝鮮の統治の実態は継続して独裁といってよい。このことは疑いがない。ただ、形式上は、憲法によって最高主権機関と規定される最高人民会議の代議員選挙も実施されているし、なによりも北朝鮮国民が、「われわれはすべてを合議で決定する民主国家の自主的人民」という強烈な意識を持っていることが重要だろう。

二〇一二年にわたしが平壌で主体《チュチェ》思想研究の碩学《せきがく》と懇談した際に、彼は、「指導者（金正恩）を推戴《すいたい》するのは人民であって、指導者が人民に一方的に命令するのではない」と語った。あくまでも政治行為の主体は人民ひとりひとりであるという。人民は自由である。「ただし、この自由は西洋でいうものとは異なる。無制限の自由は、弱肉強食の無秩序な社会をつくる。社会が理想的な状態になるには、自由は無制限ではありえない」と彼はいう。個人の自由を適切に制限することによって、社会の全体を理想的な自由の均衡状態にするというのが主体思想の眼目である。西洋の自由民主主義国家においても、自由は法・条例・規則などによって適宜制限されているのであるから、北朝鮮とのあいだに本質的には違いはないのだ、と強弁することもできるのかもしれない。

民主主義をめぐる日韓の齟齬

韓国は朴正煕大統領（任期一九六三〜七九）以後に資本主義化の道を邁進したし、北朝鮮はいまだに中国のような改革開放を展開していないから、両国はいまや「資本主義vs共産主義」というきれいな対立軸を形成している。だが、「自由民主主義（韓国）vs独裁（北朝鮮）」という二項対立の方は、そんなに単純ではない。

韓国が長い抑圧的な統治の時代を経て、一九八七年の民主化宣言以後、劇的・精力的に民主主義を実現させてきたことは圧倒的な事実である。だがそれはあくまでも「韓国的」な民主主義であった。

わたしたちの記憶に新しいのは、二〇一五年三月に、日本外務省のホームページにおける韓国に関する記述が変えられたことである。韓国基礎データ部分において、「（韓国は）我が国と、自由と民主主義、市場経済等の基本的価値を共有する重要な隣国」という従来の記述が、「我が国にとって最も重要な隣国」と変わった。このとき外務省幹部は「産経新聞への問題もあり、韓国の法の支配には疑問がある。価値観が同じとはいえない」と語ったと報じられた（『産経ニュース』電子版、二〇一五年三月四日一八時五四分）。

慰安婦問題、元徴用工をめぐる裁判、仏像盗難、産経新聞ソウル支局長の在宅起訴問題など、韓国の「法の支配」や民主主義という価値に対して、安倍政権、日本外務省だけでなく多くの日本人が違和感を抱いたのはたしかだ。だが韓国からしてみれば、「日本は米国につくってもらった民主主義のシステムの上にあぐらをかいて代議制を盲信しているだけであって、わが国の方が真の民主主義国家である」という思いが強い。

北朝鮮の巻き返しと日本の役割

このように日韓のあいだで民主主義をめぐる相互の違和感を増幅させているあいだに、トランプ大統領の時代には、なんと米国と北朝鮮のあいだで劇的な接近がなされた。「体制の共有」こそが国家間の近接度に直結するという単純な世界観からすれば、この加速度は想像外のものであったろう。しかし、金正恩委員長は西洋民主主義をよく知っている人物であり、軍部を中心とする守旧派を粛清してきた「合理派」の統治者であることを、わたしたちはもっと理解した方がよい。

米国は、この若い指導者がなにを求めているかをきちんと分析していたと思う。米国の究極的な目的は「北朝鮮（そして朝鮮半島全体）を親米化して中国の影響力を半島外に押し出す」ことなので、そのためにはなんでもする、という意気込みだったのだろう。当時、ポンペオ国務長官は「（核廃棄後の北朝鮮に）韓国に匹敵する本物の繁栄をもたらす」と語った。これはなにを意味するのか。わたしの推測ではあるが、米国の民間投資によって「平壌郊外にアジア最大のテーマパークや競技場をつくって観光大国となる」とか「アジア最高の大学をつくって北朝鮮が世界の科学をリードする」などという魅力あふれる提案を、米国が水面下でしたという可能性すらあったのである。

バイデン政権下では、「北朝鮮民主化」のシナリオも、米国はつくっているだろう。北朝鮮が経済発展すれば民度が上がって金日成・金正日の銅像は倒され、金正恩が除去されるという可能性が高い。だが、別のシナリオもある。抗日の革命という「白頭の血統」をこの国の「象徴」と設定して保存しつつ政治からは切り離し、新しい民主国家を建設する道である。戦後に日本の天皇を「象徴」として保存したのと同じ理屈だ。金正恩が乗ってくる可能性はゼロではない。

もちろん、金正恩が親米化するのなら、最大の抵抗勢力である軍部によって金正恩が除去されるというクーデターのシナリオもあるし、いうことを聞かない、あるいは約束を守らない金正恩に中国がなんらかの力を加えることもありうる。東アジアはきわめて流動的で加速度的な時代に突入した。

日本は、「価値観が違うからつきあえない」という線の細い議論のみに時間を費やさず、日本こそが東アジアの新しい秩序づくりを主導するのだ、という豪胆な気構えで朝鮮半島情勢に臨まなくてはならない。「軍事力を行使できないのではそのような役割はできない」というかもしれないが、日本にはソフト面での強みがある。戦後に日韓間で重ねてきた和解と繁栄のための努力（これを「日韓モデル」とわたしは名づけている）を積極的に評価し、その足りなかった部分を補って新たな「日朝モデル」をつくりあげる、というくらいの計画を立てるべきなのだ。

第二部

「戦後最悪の日韓関係」をどう見るか

第七章　ニヒリズムの東アジアに未来はあるか

1　憂鬱でニヒリスティックな東アジア

特に危険なのは自暴自棄や虚無感

外交・政治・安全保障におけるリアリズムの世界観では、主権国家があたかもゲームのプレイヤーであるかのように、つねに自国の国益を最大化しようとして合理的にふるまうという「幻想」を前提としている。この前提はあきらかに幻想にすぎないので、「リアリズム＝

現実主義」というのはもっとも幻想的な世界観なのだ。

もしこの幻想どおりに世界が動いていくならば、学者やシンクタンクのシミュレーションや予測どおりに主権国家がふるまうのだから、危機や危険が予見できれば、それを回避する手段ももちろん、考えられる。

しかしそういうことは、現実にはまったくありえないだろう。現実は幻想ではなく現実だからだ。そして現実というのは理性だけで動くものではなく、絶望や自暴自棄やふてくされや狂信や激情によっても大いに動くものだからである。

東アジアに話を限定するなら、特に危険なのは、自暴自棄や虚無感であろう。

というのは、東アジアというのは、まだ「主権国家」という概念にじゅうぶんに慣れていないひとたちの集まりだからだ。

主権国家は独立していなくてはならない。それは自立しており、自律的であり、その意味で自己責任という概念をつねに同伴している。

しかし東アジアの諸国家が、この主権国家というかたちをとったのは、日本以外はわずか七十年ほどまえのことにすぎない。日本の場合は百五十年ほどまえのことだが、しかし一九四五年以後は逆に米国に対する従属国家になってしまっているので、ほかの東アジアの国々と、主権国家をやっている時間の長さはたいして変わらない。

十九世紀までの東アジアは、明や清などという中原《ちゅうげん》の国家を中心として朝貢体制を形成した、中華システムであった。ここにはいかなる意味でも主権国家は存在しなかった。

その中華システムから日本が離脱したのが一八六〇年代後半で、琉球王国が離脱したのは日本に併呑（琉球処分）された一八七九年であり、朝鮮王朝は一八九七年に大韓帝国となって離脱したが、この帝国は一九一〇年に日本に併呑されてしまった。中国は日清戦争の敗北後、辛亥革命を成し遂げたが、半植民地への道を転落しつづけた。

東アジアがそのような従属状態から脱することができたのは、大日本帝国の大敗戦ののちのことである。まず大韓民国が一九四八年八月十五日に、次に朝鮮民主主義人民共和国が同年九月九日に、そして中華人民共和国が翌年に建国され、一応の主権国家をつくった。しかし朝鮮半島の二国家は完全に排他的な関係になっておらず、一種の二重権力状態をつづけた（どちらの国家も、自国の領土は朝鮮半島全体だと主張する時期が長かった）。そして一方はソ連および中国、他方は米国に依存することによって政権を維持することができたのだから、完全な主権国家と見ることができるかどうかは、学問上、議論の余地がある。

日本は日本で、米国の占領下において国家の基本である憲法を定め、法的にも軍事的にも米国の力の下で戦後ずっと存続してきたのだから、これを主権国家といってよいかどうか、多くの日本人がとまどっている。

このような状態の東アジアにおいて、非常に危険なことは、自国のことを自国の責任において完全に独立した精神によって決定する、というメンタリティの欠如である。

もっとわかりやすい言い方をするなら、なんでもかんでも他国のせいにして「自国は悪くない、他国がすべて悪いのだ」と言い募っていれば、他国がパターナリスティックに（父権干渉的に）介入してきてくれて自分にとっていいことをやってくれるだろう、という幼児的なメンタリティである。

戦前の東アジアにおいては、日本がもっともそういうメンタリティから遠く、朝鮮がもっとも近かった。だが戦後は、日本もまた急速に幼児化したのであり、特に近年は、「なんでもかんでもアイツが悪いんだ」といっていれば強い父親のような権力者が介入して日本のために一肌脱いでくれると思い込むようになっている。日本の朝鮮半島化である。

世界のトップクラスになってしまった「幼稚な東アジア」

主権国家にあるまじきこのような振る舞いは、誇りある人間ならば、けっして見たくない姿である。

しかし現実は幻想ではないので、われわれの現実においてもっとも頻繁に見る光景は、右のような父権的介入をつねに求めている雛鳥のような姿である。

だがこれだけでは、まだ危機的に危険だとはいえない。

いま東アジアが危機的に危険なのは、このように幼児的な東アジアが、経済的に世界のトップクラスになってしまったという事実以外にはありえない。

当然、東アジアは自信と自尊心を強めており、それが、「過去の自分たちのみじめな姿」と二重写しになって、その摩擦力がいびつな激情を生産しつづけている。

中国は「過去の世界の中心は中国だった。その地位を再び獲得する」という激情を打ち出して、近代世界システムに対する無謀な挑戦を始めている。だが、次のことを忘れてはならない。「過去の中国」は「過去のシステム」において偉大だったのであり、「いまの世界」は「過去のシステム」とは異物である。だから、中国は「いまのシステム」において成長したことを誇ることで満足しなくてはならないのに、逆に中国がもっとも恩恵を被ってきた「いまのシステム」を中国的に改変しようと考えている。これは、論理的な矛盾以外のなにものでもない。

これはかつて日本がやってしまった間違いなのだ。つまり明治以降の日本は、近代化・産業化・帝国主義・立憲主義・自由民主主義という近代システムのもとで国家を大きくしたのだから、そのことを誇り満足し、そのシステムのさらなる擁護者になる道がもっとも適切だったのに、劣等感にもとづく極度の使命感を自ら担ってしまって、その近代システムを破壊する側にまわってしまった。その思想・哲学（近代の超克）はさして悪くはなかったが、軍事的なやり方がまずかった。

また韓国は「自分たちはいままで経済的に弱小だったが、いまや日本と遜色《そんしょく》ない、あるいはそれ以上の経済を誇っている。いまこそ、これまで我慢に我慢を重ねてきた不満を、日本にぶつけてやる」という激情を吐露している。韓国のこういう態度に接して多くの日本人が思うことは、次のようなことだろう。「韓国が大きくなったのは認める。だが、経済が大きくなったからといってそんなに威張ってしまってもよいのなら、かつて戦後に日本が韓国よりも圧倒的に大きかったときに、日本はもっと威張ってもよかったはずではないか。しかしそういうことは日本はしなかったはずだ」。もちろん、日本が傲慢でなかったといっているわけではない。傲慢であった日本人も多くいた。そのことをわたしはよく知っている。しかし戦後の日本が韓国に比べて圧倒的に大きかったからといって、その力にまかせて韓国との約束を一方的に破ったり反故《ほご》にしたりしたことは、なかっただろう。

「若さ」か、ニヒリズムか

こういう姿を見ていると、ほんとうに情けなくなるのだが、これを解釈する方向性は、ふたつである。

ひとつは、このような「能動性」を、東アジアの生命力の発露だと見る見方である。姜尚中《カンサンジュン》氏はこの見方を採っている。彼は、東アジアのナショナリズムの「若さ」ということをいう。日本のナショナリズムは熟年にさしかかっているが、中国や韓国や北朝鮮のナショナリズムは「若い」のだ、だから勢いが強くて、ストレートで、活発だという。これはつまり、日本はナショナリスティックな生命力が枯渇してきているが、日本以外の東アジアでは生命力が旺盛だということである。

もうひとつのまったく別の見方は、次のようなものである。東アジアのナショナリズムというのは、生命力や若さの素直で健康な発現なのではなく、逆に、ニヒリズムの発露なのだという見方である。

わたしは、この後者の見方を採っている。

それは、わたしの思想史研究者としての見方でもあるが、実際に東アジアの若いひとたちとの対話から、そのような認識を獲得したといってよい。

わたしは京都大学の大学院で東アジア思想を教えているが、わたしの研究室には、世界各国からきわめて優秀な大学院生たちが集まっている。これまでに中国、台湾、香港、韓国、ロシア、ウクライナ、ハンガリーなどからの留学生二八人を、修士課程・博士課程で指導してきた。みな、本国でトップクラスの大学を卒業した俊秀たちである。

学生たちと深くつきあえばつきあうほど、彼ら・彼女らの抱えている漠然とした不安や不満と、面と向かってつきあわなければならなくなる。表面的なところだけ見ていても、わからない部分である。表面的には、自分の国に誇りを持って、愛国心の文法にのっとった言葉を述べてみたりするであろう。しかし、すこしこころの奥を見せてもらうと、そのようなストレートで素直な愛国心は、嘘とはいわぬが本心とは「ずれ」のあるものだというのがわかる。「このずれを、わかってください」と、無言でこちらに迫ってくる。

おそらく「東アジアはストレートで若々しいナショナリズムの発露の段階」などと述べているひとびとは、東アジアのひとたちと大して深く対話していないのではないだろうか。東アジアのひとびとをバカにしてはならない。そんなに単純なこころで毎日を生きているわけではないのだ。

大学院生は若いひとたちだから、もちろん、個人的な悩みも多いだろう。異性とのこと、将来のしごとのこと、結婚のこと、家族のこと、勉強のこと、健康のことなど、個人的な悩みがあるのは当然である。しかしここでいっているのは、そういうことではない。自分と、自分が所属する国家との関係についての「もやもや」である。

東アジアのひとびとが、自分の国家に対してストレートで素朴な帰属感を持っており、それに満足と誇りを感じている、などと思ってはならない。すくなくともわたしのところで研究している東アジアの若者たちは、そんな単純なこころの持ち主ではない。

2　東アジア各国のニヒリズム

中国のニヒリズム

中国の若者は、国家との関係についてきわめて慎重であり、本心をいわない。だが、そうだからといって「中国人は単純」などと思ったら、それはもうひとつの蔑視であろう。自分の国家は歴史的にいって、文句なく偉大である。だが、その「偉大」というのはいったいどのような意味なのか？　その「偉大」さがいまの自分とどのように関係しているのか？　といった形而上学的な疑問を抱かないのが中国人だ、などと考えるなら、それは人間というものの根本がわかっていないひとであろう。

韓国人は自由だから、なんでも声に出して批判したり疑ったりする。しかし中国人は、もっと複雑である。複雑な屈折光線のように、世界との違和感を発出している。それは言葉にならないため息のようなものかもしれないし、意図せず鋭くなってしまった自分の口調に驚いている表情のようなものかもしれない。

中国のニヒリズムはまずなんといっても、世界第二位の経済大国になったことに起因している。この偉大なる経済大国は、やがて米国を追い越し、世界第一となることが目前に迫っているし、その巨大な経済規模と同じていどの大きな尊敬を世界から勝ち得なくてはならない。

だが、世界の事情を知っている中国人は、それは無理に近いことだということを熟知している。

ここに第一のニヒリズムが発生する。

なぜ無理なのか？　それは実は中国人自身がよく気づいていることである。そうでなければ、なぜ習近平政権は儒教だとか孔子などというものを持ってきて大々的に強調しているのか。

それは、「経済か人間か」という問題である。たしかに経済発展はしたが、それは人間の基本的な人権や尊厳を無視することによって成し遂げられたものなのではないか、という根源的な疑問だ。

世界中のほとんどのひとびとがそのように思っているのだから、中国としては、単なる小手先の弥縫策《びほうさく》ではこの批判に応答できない。

だから、世界に冠たる道徳の聖人である孔子を前面に打ち出し、「中国こそ世界でもっとも早く道徳的国家をつくった偉大な国である」というテーゼを打ち出す。

ここに第二のニヒリズムが発生する。

なぜか？

孔子と現在の共産主義政権は一切なんの関係もないにもかかわらず、「中国」というカテゴリーを濫用《らんよう》してその一体性を捏造して強調する。そして春秋時代の孔子と二十一世紀の習近平をなんらかのかたちで結びつけようとしているからだ。これは端的に欺瞞である。

道徳をもちだしてきて自己の権威づけをはかるとき、つねにニヒリズムはそこに胚胎《はいたい》する。戦前の日本が「道義の大日本帝国」を高らかに謳《うた》ったとき、そこには強烈なニヒリズムが匂い立っていた。

道徳性がこれでもかと強調されるとき、日常とその道徳は乖離し、その割れ目にニヒリズムが浸透する。ひとは自らの国家や共同体の道徳性を信じたいが、信じるためのエビデンスは皆無であり、かわりにあるのは古代の「聖人」の言葉だけである。これを信じろといってても、現代中国のインテリには無理である。しかし信じるふりはしなくてはならない。ニヒリズムは進行し、白蟻のように国家の伽藍《がらん》を蝕んでゆく。

韓国のニヒリズム

わたしの観察するかぎり、東アジアのなかで韓国の若者がもっとも強い「国家とのずれ」の感覚を持っている。

これに対して、「国家や社会とのずれ」に関しては、東アジアのなかで日本の若者がもっとも鈍感である。既存のシステムや慣習に対して、順応することをまず先に考えているひとがきわめて多い。もちろん個人的な悩みは日本の若者はわんさと持っている。だがそれが、国家や社会というものと無関係になっている、というのが日本の特徴である。あるいは一気に悪しき「社会学的還元」（小倉の造語）をしてしまい、「なんでもかんでも社会のせいなんだ」という回路にはまってしまう者も結構いるようだ（わたしの研究室にはそういう単純なひとはいないない）。

韓国人が持っている「国家とのずれ」感覚を、日本人ももっときちんと理解したほうがいいと思う。数年前に、韓国の若者が自国を「ヘル（地獄）朝鮮《チヨソン》」と呼ぶことが流行ったのだが、このときの解説では、「韓国では高学歴でも就職するのがむずかしく、そういう社会への不満の言葉として使われる」というものがほとんどだった。これは韓国人をバカにしている解説だと思う。「ヘル朝鮮」という自虐は、そんな単純な、自己の利益のみに焦点を当てた言葉ではない。それは、はっきりとは言葉にできない、なんとも漠然とした国家や社会への違和感、ずれ、「変な感じ」を総合的に表わしているのである。

これがもっと明確な批判意識を持つようになると、政治的立場を明確にしたり、既得権層に対する強烈なプロテストになったりするのだが、そういう単純化されたわかりやすい「選択」によっては決して回収されない、いってみれば「世界観的な違和感」が、韓国の優秀な若者を全体的におおっている。少子化の遠因もまさにここにあるのだ。

韓国のニヒリズムは、基本的に、自らの歴史を直視できないところに生じている。これは中国、北朝鮮、日本にも共通していることなのだが、韓国の場合は、歴史認識そのものが政権の正統性と直結しているので、ここに虚偽がはびこるのである。

朱子学的な伝統と、大日本帝国の「道義国家」というコンセプトの影響を受けて、韓国は自らを道徳国家、正義国家として規定したい。この道徳とか正義などという概念が危険なのだが、韓国人はその危険性にあまり気づいていないようである。

日常とは異なる道徳とか正義などという概念が日常を支配してしまうので、国民の生は疎外される。生は理念や正義によって虚しくなる。韓国人の生は虚しい。

もうひとつ、国民の生を阻害するのは、経済発展至上主義という病弊である。

韓国の国民は生そのものを生きるというよりは、むしろ正義や経済という概念や理念によって生かされている、という逆転現象が日常化している。この国では正義と経済が生命なのであって、国民というのはその生命を生かすための手段である、という逆転現象である。

日本人の、韓国に対するニヒリズム

日本人の多くは、韓国の国家としてのふるまいに対して、反感や違和感を持っているにちがいない。それは、当然のことだ。

二〇〇五年に山野車輪の『マンガ嫌韓流』（晋遊舎）が刊行されたころから、日本のなかで「嫌韓」という現象が顕著になった。だがわたしの体感でいうと、非常に多くの日本人が「嫌韓」感情を持つようになったのは、二〇一二年のことだった。この年に当時の李明博・韓国大統領が突然竹島に上陸し、さらに「天皇が訪韓したいのだったら、独立運動家の子孫に謝罪せよ」という発言をしたのが大きかった。わたしのまわりの多くの韓国文化ファンたちが、このときから一気に嫌韓的な感情を持つようになった。それは実にすさまじい転向だった。

二〇一三年には就任したばかりの朴槿恵大統領が、韓国外交の優先順位は「米国、中国、日本」の順だといういわずもがなの信じられない発言をした。先進国の首脳には次々と「告げ口外交」をし、「加害者と被害者の関係は千年経っても変わらない」と演説した。

二〇一五年の暮れには慰安婦問題に関する歴史的な「日韓合意」が発表されたが、その後の韓国社会はこれに反対する市民運動団体の理不尽な主張に支配され、文在寅政権はこの合意を反故にするなど、政府間の国際的合意をいとも簡単に踏みにじった。

二〇一八年には韓国の大法院（最高裁判所）が、元徴用工への慰謝料を日本企業が払うべきだという判決を出した。

二〇二一年一月には、慰安婦問題に関してソウル地裁が日本政府に賠償命令をする判決を出した。その後四月の別の裁判の判決では「主権免除」の理由により訴えが退けられたが、そんなことで納得する日本人ではない。

もうすでに、韓国に対して「なにかを信頼して」「こわれた関係を誠実に修復しようと」努力しようなどというメンタリティは、日本人にはなくなってしまったと見てよい。韓国という国とは、関われば関わるほど裏切られる、という認識が、日本のなかでほぼかたまってしまったといってよい。

わたしは立場として「親韓派」なのだが、多くの日本人が右のような諦念と嫌悪と反感を韓国に対して持ってしまっていることも、よく理解できる。「韓国は正しい。日本は悪く、間違っている」というような思考停止の呪文を唱えるような「従韓派」ではわたしはない。

しかし安全保障や経済の側面では、韓国と決裂するという選択肢はありえないのだし、もっと文明論的にいうなら、米国と中国が文明的な対立構造に突入しつつあるいま、日本が協力すべき相手としては韓国以外ありえないのである。

ここで、大いなる発想の転換をする必要がある。

つまり、たしかに韓国は、きちんとした国家としてはあるまじきふるまいをしているのだが、「ではそもそも韓国とは国家なのか」と考えてみる必要があるのだ。

韓国がちゃんとした国家である、という前提で韓国を見るから、ちゃんとした国家としてのふるまいをしない韓国に対して腹を立てたり蔑視したりしてしまうわけだ。

しかし、そもそも韓国とはちゃんとした国家なのだろうか。

そうではない、と考えてみることから始めてみてはどうだろう。

3　韓国は国家なのか

韓国とは「運動団体」である

そもそも朝鮮半島には、ふたつの国家がある。このふたつとも別々に国連に加盟しているので、一応、朝鮮半島には互いに排他的なふたつの国家があるといってよいであろう。だがこのふたつの国家が一九九一年に国連に加盟するまえは、それぞれが堂々と「自分たちの領土は朝鮮半島全体」と言い張っていた。いまはかつてのようには強く主張しないが、朝鮮半島におけるふたつの国家の主権の関係性はかなり複雑である。

朝鮮王朝、大韓帝国まではひとつの国家だったが、それがふたつの国家に分かれている。そして一九五〇年に始まった朝鮮戦争はいまだ休戦状態のままだ。北朝鮮の独裁的な体制における自由と民主の欠如は当然のことだが、韓国にもかつての日本の治安維持法のような国家保安法という悪法がある。

一九四八年に大韓民国が成立してから現在までの歴史を知っている者なら、この国が尋常ならざる変革につぐ変革をやりとおしてきて、いまに至っていることがわかる。これほどの変革の連続は、日本のように社会の安定性に最大の価値を置く国家とは根本的にまったく異なる国家だからこそできたことである。

憲法や法の「重み」が日本とまったく異なるのも、当然である。国家自体が軽く、柔軟で、変化による摩擦やダメージへのレジリエンスがある。国家自体が必要以上に鈍重で、かちこちに固まっており、変化への恐怖心に支配されている日本とは根本的に異なるのだ。

韓国は、日本人が常識的に「これが国家だ」とイメージするような国家ではないのだ。韓国を国家だとは思わないほうがよいのである。「国家なき運動団体」だと考えたほうがむしろよい。

韓国だけではない。北朝鮮も中国も台湾も、正常な国家ではない。「これから正常な国家になるために運動している中途半端な状態の国家」なのである。

わたしは、これらの国をけなしているのではない。そもそも世界中に国家は二〇〇近くもあるが、そのうち正常できちんとした国民国家、主権国家はいくつあるというのか。国連に加盟しているからといって、正常できちんとした国民国家、主権国家だというわけではない。

特に東アジアは、冷戦がいまだ継続している地域である。中国も朝鮮も、イデオロギーによってきれいにふたつに分かれてしまっている。これらの国を、正常できちんとした国民国家、主権国家として認識すること自体が間違っている。

韓国は、つねに革新を求めて運動する団体である。特に文在寅政権の中枢には、そのようなメンタリティが非常に強い。「正義と革新を求めて運動する団体こそが国家である」という認識を持っている。この考えから見れば、「正義と革新を求めず、運動しない団体」である日本なぞはきちんとした正常な国家ではないのである。「大韓民国こそ立派な国であり、不道徳で反省しない日本こそ国家として欠損がある」というのが、この政権の根本的な考えである。

この考えを日本人は理解しなくてはならない。ふつうの日本人の感覚では、到底理解できないであろう。しかし、理解しなくてはならないのである。なぜか？　まさにそのような根本思想を持っている国が、日本のすぐとなりにあるからである。韓国も北朝鮮も、この根本思想の部分は同じである。だから、この考えを理解できるかできないかということは、日本の死活問題なのだ。

日本は「国家なき不変の団体」である

日本のニヒリズムの根源には、「日本こそもっともちゃんとした国家」だという思い込みがある。「日本は誠実な国家である。日本はきちんとした法治国家である。日本は国際的に信頼されている一級国家である。日本は経済大国として尊敬されている国家である。日本は平和国家として国際的に重要な役割を果たしている。日本は……」。こういう認識は、決して間違いとはいえないのだが、残念ながら日本人は、なにかの宗教を信じているかのごとく、右のような認識を強く持ちすぎている。「日本はきちんとした一流国家である」という誇りを持つことはよいことだが、この認識によって国家に関するすべてのことが思考停止になってしまってはならない。現実を直視しなくてはならない。保守側も左派側も、この「日本はきちんとした国家」であるという幻想を強く持ちすぎている。

だがコロナ禍に対処する政府の取り組みのお粗末さ加減によって、日本がガバナンスと危機管理能力を持った国家だとはとてもいえないことが露呈した。与党支持者たちも、このことにはじゅうぶんに気づいているだろう。本当は日本は、国家の質ということでいえば低いレベルであるという、だれもが気づいてはいるが声を大にしていいにくかった事実が、コロナ対策というわかりやすい局面で急速にあからさまになっている。

日本人は、日本社会が「動かない」ことをもって、日本という国家が正常だという根拠として考えることに慣れすぎている。そうすると、不安定に動くこと自体が国家としての欠損と認識されるようになってしまう。もちろん法や社会の安定性は重要である。韓国のような不安定な社会で暮らすことのストレスは、ものすごいものがある。

だが、たとえば、自分たちがつくったわけでもない憲法を不磨《ふま》の大典とみなし、それを一字一句もいじらないことこそが「きちんとした正常な国家」の根本だと考えるような守旧至上主義（左派・リベラル）が、日本社会では強大な力を持ちすぎている。

日本は「運動がない」ことによって、正常な国家ではないのである。きちんとした正常な国家というのは、自分たちの根本的な法体系であっても、あるいは文化や社会の決まりであっても、果敢に変えていくことができなくてはならない。それができないのなら、日本は韓国とはまったく逆の意味で、「きちんとした正常な国家」ではなく、「守旧と不変に凝り固まった団体」にすぎないのである。

韓国が「動きすぎるから国家でない」のであれば、日本は「動かなすぎるから国家でない」のである。

日本も不動を決めこんでいないで自ら動いたらどうなのだ。そういうことをできるのが、きちんとした正常な国家であろう。

日本の若者に対する左派の精神的暴力

たとえば左派やリベラルは、「日本は憲法九条を持っているからすばらしい国、これを変えようとする与党や保守は悪の勢力」という強固な信念体系を持ちすぎている。わたしは大学教員だから、ふだんから大学生に接している。日本の若者はふつう、高校卒業までは政治には関心を持たない（これもなげかわしい風習だ）。大学生になってようやく政治や社会に現実的な関心を持とうとするとき、彼女・彼らがはじめて出会うひとは大学教員である場合が多い。大学の授業で政治の話をする機会もあるだろう。

わたしはそういう大学生たちがなにをこわがっているのかをよく知っている。アカデミズムという場所には、左派やリベラルがいまだに圧倒的に多い。そういうひとたちは、みな一様に「こわい」のである。まだ多くの知識を持たず、これから政治意識や自分の見解を磨こうと思っている若者に対して、左派やリベラルの護憲主義者は、こわもてで押しつぶそうと威圧をかけてくる。左派やリベラルのパラダイムからすこしでもはずれたことを発言しようものなら、「君ねえ、そういう考え方こそダメなんだよ」とか「その考えって暴走するとナチと同じになっちゃうよ」とか「そういう考えを持ってる人間は、そもそもこの問題について語る資格がないんだよ」などという「脅し」をかけてくる。大学にはいってはじめて政治的な意見を語ってみようと勇気を出している若者に対して、大変無礼な暴力である。

若者にしてみれば、そういうおじさん・おばさんたちに対してはただ単に「なんでこんなにこわいんだろう」という感想を持つだけだ。授業で「こんなことを発言したら怒られるんじゃないだろうか」「また、それはアベと同じ思考のパターンだ、だとか、ナチと同じっていわれるんじゃないだろうか」と恐怖心を抱いてしまう。とにかく左派やリベラルのおじさん・おばさん知識人たちは二言目には「ナチ」とか「アベ」とかいって学生を恐喝する。賢い学生はそんな理不尽な暴力からいち早く逃げて、政治的なもの一切から距離を置くようになる。「自由にものを考えたら怒られるって？　バカらしくてやってられんわ」というわけだ。だが生真面目な学生やそもそも陰謀論や洗脳にからめとられやすい学生は、かわいそうなことに「そうか。こういう考え方をするとナチになっちゃうのか。わたしは絶対にポリティカル・コレクトネスを守ろう。絶対に間違ったことをいわないように、気をつけよう」と考えてしまって、「正義のかたまり」になろうとしてしまう。

これはれっきとした、個人の精神に対する暴力なのである。日本のどうしようもないニヒリズムの淵源のひとつが、こういう「守旧絶対主義」にある。

第八章 ジャーナリストの日韓論

1 元「ソウル支局長」四人の日韓論

新書四冊の書評

二〇二〇年にわたしは、「現代韓国朝鮮学会」の学会誌編集委員会からの依頼で、四冊の本の書評をすることになった。韓国報道の第一線で活躍している日本のエース級ジャーナリストによる、以下の新書四冊である。

・峯岸博（日本経済新聞編集委員兼論説委員、元ソウル支局長）著『日韓の断層』日経プレミアシリーズ、二〇一九年五月
・牧野愛博（朝日新聞編集委員、元ソウル支局長）著『ルポ「断絶」の日韓　なぜここまで分かり合えないのか』朝日新書、二〇一九年六月
・池畑修平（NHK報道局記者主幹、元ソウル支局長）著『韓国内なる分断　葛藤する政治、疲弊する国民』平凡社新書、二〇一九年七月
・黒田勝弘（産経新聞ソウル駐在客員論説委員、元ソウル支局長）著『韓《から》めし政治学』角川新書、二〇一九年三月

本章では、この書評を紹介したい。日本を代表するジャーナリストたちが韓国や日韓関係をどう論じているのか、その傾向をわたしなりに分析したものである。日本のジャーナリズムが韓国をどのように捉えているのか、その一片が見えてくるだろう。

四冊は、すべて二〇一九年に刊行されている（三月～七月）。「四冊まとめて書評せよ」というのが、学会誌編集委員会からわたしへの依頼であった。かなり、無理難題である。この

四冊を書評の対象として選んだのも編集委員会であって、わたしではない。ほかにすぐれた新書を出されているジャーナリストの方も数多くおられるが、書評対象に選ばれなかったからといってわたしを恨まないでいただきたいと思う。四冊に選ばれたからといって、浅学無知のわたしに手前勝手に評論されてしまうのだから、別にいいことはなにもないのである。

編集委員会がこの四冊を選んだのは、各社のソウル支局長経験ジャーナリストの新書であることと、刊行時期がまとまっていることによるものであろう。

刊行時期からわかるように、四冊すべて、朴槿恵前大統領の退陣から文在寅大統領就任後二年ほどの時期を重点的に扱っている。もちろん、黒田本は食に関するものだからもっと長い時期を扱っているし（一九八〇年代はじめに朴槿恵氏と会食したことなど）、牧野本では町田貢・元駐韓公使の回顧というかたちで戦後日韓関係全体を概観することに多くのページを割いている。だが、議論の焦点はやはり、朴槿恵政権末期から文在寅大統領任期前半における日韓関係である。

さすがに第一線級のジャーナリストの作だけあって、どの本も、この時期の韓国政界や日韓関係の動きに関して、平易な文体で切れ味するどく叙述している。だが、四冊の本の分析それぞれを評価して優劣をつけるようなことは、ここではしたくない。そもそもわたしにはそのようなことができる能力がないし、また、編集委員会からの依頼もおそらく、そういう主旨ではない。

わたしとしては、この時期における「日韓関係・韓国社会をどう見るか」という基本的なパースペクティブに対して、日本を代表するマスメディアで活躍するジャーナリストたちがどのようなパラダイムを共有し、あるいはそれを破壊しようとしたのか、という思想史的な視角から検討してみたい。

なお、黒田本は韓国人の食と政治に関するものだからほかの三冊とはだいぶ毛色が変わっている。本来は氏の韓国観の本質が出ている『隣国への足跡　ソウル在住35年日本人記者が追った日韓歴史事件簿』（KADOKAWA、二〇一七）を分析したいが、これは新書ではなく、刊行時期も他の三書とはずれているので、編集委員会からの依頼にしたがって、『韓めし政治学』を取り上げる。

「断」の認識

黒田本以外の三冊のタイトルに共通して「断」という字が使われていることからしてすでに象徴的だが、日韓間の「断」（峯岸、牧野）および韓国内部の「断」（池畑）という事態が、これらの本が共通して持っている批判意識および危機感であると思われる。「断」というからには、それらの事態が生じる以前は「いまだ断でない、つまりくっついている」状態だった、という認識があるのであろう。日韓のあいだ、韓国政界のあいだは、もともとはくっついていたが、それが不幸にも断裂してしまった、という価値つきの認識が、ここでは支配しているようだ。

この認識が持つ問題点については、本章の終わりの部分で述べてみたいが、事実として「断」であり、また日韓関係が良好でないことはたしかであろう。現在の両国関係を常態と考えることはできないというのが、韓国に関わる大方の日本人の意見であるにちがいない。

それでは、その非常態の淵源と性格はどこにあるのか。

そのことを中心に、ここから先は、四冊の本で議論されている内容を具体的に検討していこうと思う。

韓国の若者の意識

まず峯岸本は、「韓国社会の意識変化」（五ページ）から日韓関係の悪化を説明しようとする。たとえば、国家よりも個人を優先するのが韓国二十代の特徴で、そのため「元徴用工や元慰安婦の人権問題にはひときわ敏感になっている」（二一一ページ）という。日本の読者としてはこういう部分をもっと知りたいはずだ。この説明だと、韓国の若者が徴用工や慰安婦の問題に強い関心を示すのはナショナリズムのためではない、ということになるが、もしそうなら具体的にどのような心理が彼ら彼女らを支配しているのか、ということが、核心的な問題になると思う。

ここで登場するのが陳昌洙《チンチャンス》・世宗研究所日本研究センター長の「韓国の若者には、徴用工問題でも個人の請求権はあると考え、協定とは関係なく徹底的に日本と話し合わなければならないという雰囲気がある」（二一〇ページ）という説明である。だが他方で「文在寅政権に近い大学教授」は、これらの問題は「七〇％以上は韓国国内の問題」という（一〇七ページ）。著者は「現代史をめぐる保守と革新勢力の報復合戦の色彩が強いという意味」（一〇七ページ）と解説している。

以上のように、大変興味深いふたつの枠組みを本書は提示している。読者としてはこの論点に関して、もっと掘り下げた議論を聞きたくなるのではないだろうか。そういう気にならせるだけでも、新書というスタイルの役割を充分に果たしていると思う。

そのほか「順法（日本）」対「正義（韓国）」の対立、韓国の「甘え」の体質、「反日無罪」

や「無自覚の反日」の問題も本書では語られる。そして末尾に近い部分で、崔相龍《チエサンヨン》・元駐日韓国大使の「求同存異（異を残し同を求める）」という精神が語られるのだが、読者は、「いったいこの身勝手な韓国とどのようにつきあえば求同になるのか」と疑問を抱くにちがいない。この疑問の喚起も、新書としては成功しているといってよいだろう。

日韓請求権協定は「細かな法理」

次に牧野本は、日韓関係の悪化に対しては日韓双方に問題がある、との立場を打ち出す。たとえば慰安婦合意に関しても、安倍首相みずからの口で謝罪し、元慰安婦を慰問したほうがよかった、と明確に語る（五ページ）。日本側にも大いに問題がある、と明瞭に指摘したことは特筆すべきだ。だが著者によれば、問題は韓国側により多くある。自身が韓国当局に弾圧され、尾行された経緯を詳述しつつ、韓国への批判を熱く語る。

まずレーダーと旭日旗の問題を詳述し（第一章）、次に徴用工と慰安婦の問題を語る（第二章）。印象深かったのは、筆者の知人である韓国司法記者の「請求権協定で徴用工問題も全て解決されたとか、そんな細かな法理は、普通の韓国人は理解していない」という発言である（七三ページ）。日韓の法的関係のもっとも大きな幹となるものを、「そんな細かな法理」

といってしまう韓国側の感覚を日本人が理解するのは、困難であろう。

牧野本の特色は、分量の多い第三章で、もっとも長いあいだ日韓関係に関わってきた日本人外交官のひとりである町田貢・元駐韓公使の経験と語りによって、李承晩時代からの日韓関係を概観した点にある。読者はここで、現在の日韓関係を過去からの線の延長として理解できるだろう。第四章と第五章では文在寅政権の自己中心的でご都合主義的なふるまいの数々が語られ、読者に「この政権はひどすぎる」という印象を与える。そしてついに、朝日新聞に書いた牧野氏自身の記事によって「大統領府への無期限立ち入り禁止」措置が取られたことを語る。

ここまでつぶさに韓国政権のひどさを語りながら、しかし牧野氏は、後藤田正晴・元官房長官の「この地上に、戦争の記憶を持った中国や韓国の人が一人でも残っているうちは、我々は憲法改正の話を持ち出してはいかんのだ」という言葉を、本書で二回も引用して強調している。だが、その引用はやや唐突で、「なぜそうなのか」という充分な説得力を持って語られているようには見えない。そこが残念である。

牧野氏は自身がこれまで書いてきた記事の内容や、マスメディアにおける立ち位置においておいて、エッジが利いており、その分孤高の雰囲気すら漂わす。

保守派打倒の永続化

次に池畑本は、日韓関係よりもむしろ韓国国内の葛藤、および南北の分断の分析に力を注ぐ。このテーマに関して基本的で正確な見取り図を理解したいというひと（たとえば大学生）が読むのに最適な本である。叙述にバランスがとれており、客観的である。

特に、「文在寅は反日である」という認識に対しては、明確に、「文政権になって日韓関係が政治面では坂から転がり落ちるように悪化したのは、結果的にそうなっただけ」であり、彼の「未来志向」という言葉は偽りではないという（一九ページ）。彼や「進歩派が清算したがっているのは、現在の日本という国や日本人ではなく、同じ韓国人のうちの保守派」（二一ページ）なのであって、「保守派打倒の永続化」（二七ページ）を企図しているのだという。他の三冊にもこれと似た認識はあるが、池畑本は特にこの点に焦点を当てて叙述をしているという特徴がある。

文在寅などの進歩派にとって保守派とは、日本との癒着によって大韓民国を道徳的に腐敗させてきた勢力である。朴槿恵の父親である朴正熙はまさに骨の髄まで親日派そのものであった民族反逆者である。その娘（朴槿恵）もまた、民族の道徳的正統性を蹂躙する裏切り者であるのは言を俟たない。これら保守派は、民族の正統である抗日運動家や民主化勢力を不当に貶めてきた。理不尽に踏みにじられてきたこれら道徳的勢力を復権し、歴史をひっくりかえすことが、まさに「積弊の清算」なのだ。

青瓦台（大統領府）の元高官によれば、韓国では大統領が決めることのできるポストが九九〇〇あるという（三六ページ）。そういう「ダイナミック・コリア」（五六ページ）における朴槿恵の役割は、セヌリ党議員によれば、「この国を、親北派の連中から守った」ことであって、彼女が政策に通じているからとか優秀だからということで彼女を大統領候補にしたわけではない、という（一一〇ページ）。その彼女と新興宗教の教祖である崔太敏《チエテミン》・順実《スンシル》父娘との数十年前からの関係を丁寧に記述することで、朴槿恵の孤独と情念を描き出すことに成功している。

文政権の「積弊清算」といえば日本では否定的にしかとらえられないし、池畑本でも強い批判を加えているが、他方で「日本では想像しにくいほど政府や社会の随所で変化が起きたのも確かだ」（二一〇ページ）としてその例を挙げてもいる。文政権のふるまいが日本人にとっていかに理解不能なものであるにせよ、韓国人は当初それを大歓迎して支持したのは事実なのだから、そのことも明瞭に日本人に示すことが重要であると思われる。池畑本はその意味で、バランス感覚に富んだ叙述となっている。

「独り飯」は朴槿恵の不人気の象徴

最後に御大・黒田氏の本だが、ここにはいわゆる「分析」はない。「食と政治」がテーマだが、ここで政治というのはもっぱら政治家という人間の話であって、韓国民主主義の性質がどうしたこうした、というようなむずかしい話はしない。往年の「キングメーカー」金潤《キムユン》煥《ファン》が無類の犬好き（食べるほう）だったのは、政治家としてのパワー誇示ではなかったか（第十章）、とか、光化門にあった回転寿司屋や、ビアホール兼バー兼コーヒーショップにおける政治家たちのめまぐるしい人間模様（第八章）とか、南北首脳会談における食の過剰演出（第一、二、三章）などに関する「黒田節」をたっぷり堪能することができる。そのなかでも特に、一九七〇年代に母だけでなく父をも銃撃で亡くし、失意に沈んでいた朴槿恵氏と、一九八〇年代はじめに会食したエピソードが出色である（第四章）。

大統領になったあとは「不通」の悪名を得、青瓦台での食事もほとんどひとりで済ます「ホンバプラー（独り飯派）」であったことが、朴槿恵大統領の不人気の象徴となった。だが別の角度から見れば彼女こそ、オールド・ファッションな「仕事飯」を拒否し、女性が「ホンパプ（ひとりで食事すること）」を楽しむという時代の先端を行く「カッコイイ女性」だったのだ、という。いまの韓国人にはまったく届かない言葉だが、五年後には多くの韓国人が「まさにそのとおりだった」というであろう。

2　党派の分裂こそがノーマルな状態

朝鮮半島はいつ統一されたのか

このように四冊とも、それぞれの特色を持って、現在の韓国および日韓関係をみごとに分析している。さすが、といってよい。

以下に述べることは上記の四冊の本に対する批判ではないが、ものごとの見方、考え方の根本にかかわる問題であるので、すこしわたし自身の考えを述べてみたい。

話が脱線して恐縮だが、わたしはよく、大学の授業などで、「朝鮮半島はいつ統一されたのか」という問いを発する。北朝鮮の公式の歴史観では、朝鮮半島を最初に統一したのは高麗である。韓国ではかつては、新羅《しらぎ》（三五六〜九三五）が最初に統一した、というのが確固たる歴史観であったが、近年では北朝鮮の影響を受けて、そういうことをあまりいわないひとたちも増えた。新羅は唐と野合して百済、高句麗という「同じ朝鮮民族の国家」を滅ぼしたのだし、おまけに高句麗の故地を失ったのだから民族反逆的な悪の国家である、というのが北朝鮮の歴史観である。韓国でも最近は、こういう歴史観の影響を受けて、七世紀末以後は新羅（南）と渤海《ぼっかい》（北）が並立する南北国時代、という認識をしているひとたちが多い。

つまりここには、「もともと、いまの中国東北部から朝鮮半島南端まで、朝鮮民族というひとつの民族が暮らしていたが、それが高句麗・新羅・百済・伽耶（加羅）という四国に分裂してしまった。そしてそれをふたたび統一したのは新羅なのか、高麗なのか」という基本的なパースペクティブが厳然と君臨している。だが、それは正しい認識なのか。最初は朝鮮民族がひとつになっていたのに、それが高句麗など四国に分裂してしまったというエビデンスはいったいどこにあるのか。ないであろう。朝鮮半島には最初から分裂した国家群があっただけであり、それを中国側から（半島南部においては）馬韓、弁韓、辰韓と呼称したり、あるいは高句麗、新羅などの国家が分立しただけであろう。高句麗と新羅が同じ民族の国家であったかどうか、というのは、すくなくともいまの段階の人類学的・言語学的知識では、断定できないことなのである。

【朝鮮半島略年表】

BC195 頃	衛氏朝鮮が成立したとされる
BC108	漢の武帝が衛氏朝鮮を滅ぼし、四郡（楽浪郡・玄菟郡・臨屯郡・真番郡）を置く
BC37	高句麗建国
313	高句麗が楽浪郡を滅ぼす
356	新羅建国
660	新羅、唐とともに百済を滅ぼす
668	新羅、唐とともに高句麗を滅ぼす
676	新羅と唐の抗争が終わり、三国統一（韓国の歴史観）
698	渤海建国。以降、中国東北部、朝鮮半島北部、ロシア沿海州に勢力を広げる
918	高麗建国
926	遼が渤海を滅ぼす
935	高麗が新羅を滅ぼす
936	高麗が後高句麗を滅ぼして半島統一
1388	李成桂がクーデターを起こし政権掌握
1392	朝鮮成立
1897	国号を大韓帝国と改める
1910	日本による韓国併合
1948	大韓民国、朝鮮民主主義人民共和国が成立

ところが北朝鮮でも韓国でも、「もともと朝鮮半島（韓半島）にはひとつの民族が住んでいた。それが不幸なことに分裂してしまった」という強固な認識がすでに信念体系のようになってしまっている。それを背後から支えるのは檀君神話《だんくんしんわ》である。檀君とは朝鮮民族（韓民族）全体の始祖だ。これを「神話」というと怒るひとたちが韓国には意外に多い。そのひとたちにとって「韓国人がすべて檀君の子孫である」というのは、神話でなく史実なのである。

認識の罠

これと同じような「認識の罠」が、現在の韓国政治や日韓関係を見る視座に、隠されているということはないであろうか。

「日韓関係の断絶は最悪の状態だ」とか、「韓国の進歩と保守の断絶はきわめて深刻だ」などという認識は、厳密に分析される以前から当然視されてしまっている一種の先入観なのではないか、と疑ってみることも重要であろう。

たとえば、「日韓関係が悪化している」という命題の前提にあるのは、「かつて日韓は自由民主主義と資本主義という体制を共有していた。ところが韓国の民主主義のやり方には多分に疑問を持たざるをえない。日本外務省も『体制の共有』という言葉を使わなくなった。だから日韓は互いに理解することもできなくなったし、関係が悪化の一途をたどっている」という認識であると思われる。だが、かつてわたしは、日韓間で「体制の共有」という文言（ないし観念）がいつ使われはじめ、どのような意味で使われたのかを調べたところ、その当初（一九八〇年代）は「実態として韓国に資本主義や民主主義があるわけではないという認識のもと、政治・外交的なかけひきとしてこの語を使った」という結論を得た。たとえば一九八四年九月、つまり光州事件（光州市で民主化を要求する大規模なデモが起こり、軍隊が出動して多数の死傷者が出た事件）の四年後に訪日した全斗煥大統領と中曽根首相は共同声明で、「自由、平和及び民主主義という共通の理念を追求する日韓両国」という、現実とはかけ離れた文言を使っている。そもそもは、このような政治・外交的なかけひきの装置としての「日韓両国」の「共通の理念」だったのである。

それが細川首相以後、両国が真に理念を共有しているという認識が定着してきたのはたしかだが（一九九四年三月の金泳三大統領訪日時の細川首相の言葉など）、それにしてもその後も日韓間には齟齬《そご》や摩擦が絶えなかった。その多くは、「体制」という根幹的な部分が、ヨーロッパにおける冷戦の終結と、九〇年代以降の韓国におけるいわゆる「移行期正義」の問題、そして経済のグローバル化などとからみあって、単純に「自由民主主義と資本主義」という大雑把なスローガンではとらえきれなくなってきたことを反映している。つまり、日韓はつねに先鋭的かつ理念的な問題群をめぐって協力したり離反したりしてきたのであり、そのことを前提とするなら、現在の日韓関係がかつてに比べて「断」の方向に突き進んでいるという認識は、ただちに導き出されるものではないのではないか。

韓国国内の問題も、歴史的な文脈で考えるならば、朝鮮王朝以来、この国の政治がいくつかの党派に分裂して死闘を繰り広げるのはかえって常態なのだという認識も成り立ちうる。もし日本の五五年体制のような安定性が韓国政治に実現されることがあるとすれば、むしろそのことが大ニュースになるべきことではないのだろうか。このことをもって大ジャーナリストであった田中明は、朴正熙の時代を朝鮮史のなかでも例外の時代だといったわけであり、金泳三時代以後はむしろ常態に戻ったと考えたのである。

上記の四冊の本のなかでは黒田本だけが、そのようなカメラを引いた視座からの分析になっている。肩肘張って「韓国のここがいかん」と国家を背中に担ったような物言いはしないが、その態度こそ、黒田氏が長年にわたって身につけてきた「作法」なのであろう。

黒田氏が一九四一年生まれなのに対し、峯岸氏は一九六八年生まれ、牧野氏は一九六五年生まれ、池畑氏は一九六九年生まれで、三人は皆五十代である。黒田氏は別格として、それ以外の三氏は、新聞社・放送局においてはベテランの域に達している年齢だが、それでも五十代というのはやはり「若い」のである。悪化する日韓関係に対して、悲憤慷慨《ひふんこうがい》とまではいわずとも、なんとか良い方向に転回させようと日夜、獅子奮迅の努力をしているひとたちである。だが御大だけは、泰然自若といった風情ででんと構えている。あたかも、「日韓関係はたしかに悪いが、そもそも日韓関係がよかったことなどあるのか」といわんばかりの態度である。徴用工の大法院判決で韓国はルビコン川を渡ってしまった、というひともいるが、過去にもルビコン川はいくつも渡ってきたのではないか、とでもいいたげな風情である。

これは要するに、先ほど述べた、「なにがノーマルな状態であるのか」ということに対する認識の違いから来ている態度なのだろう。若い五十代のジャーナリストたちと御大の中間の年齢であるわたしにとっては、どちらの「構え」も実によく理解できるのである。

第九章

よりよい日韓関係をいかに構築すべきか

本章は、韓国の朝鮮日報主催のシンポジウムで二〇一四年にわたしが発表した文章である。「よりよい日韓関係をいかに構築すべきか……五つの提言……」、朝鮮日報主催「NEAR–Chosun Conference: The 50th Anniversary of the Normalization of Korea-Japan Relation and Its Future」、二〇一四年八月二九日、韓国・済州島での発表（韓国語）。

本書執筆時点から七年前に発表したものであるが、わたしの問題意識はいまでもまったく変わっていない。わたしにとっては重要な提言であり、本書の結論的な内容になっていると思う。

親韓派といわれるひとびとは、韓国に行っていったいどんな発言をしているのか。多くの日本人が気になることではないか、と思う。

この発表は、韓国の朝鮮日報という代表的な新聞が主催したシンポジウムで行ったものである。その意味で、わたしのような親韓派が韓国で韓国人に向かってなにを語っているのか、というよい見本になっていると思う。わたしの基本的な姿勢は、是々非々で韓国と日本の悪い点を公平に批判する、というものである。コロナ禍以前にはわたしはたびたび韓国に行って、韓国人に対して日韓関係について語ったが、多くの場合、本章と同じ姿勢で日韓双方を批判してきた。これがわたしなりの「親韓の作法」なのである。

だが、なかには、韓国で韓国人に媚《こび》を売ってしまい、日本の批判ばかりを滔々《とうとう》と述べて韓国の肩を持つ、という語りをする日本人もかなり多くいる。そういう語りしかできない、しないひとすらいる。聞いていて気持ち悪いものである。なぜなら、そのような態度は決して「親韓」ではなく、ただ単に「主体性のなさ」「韓国へのおもねり」として韓国人に受け取られてしまうということを、わたしは熟知しているからだ。韓国に来て日本の悪口ばかりをいって韓国人の歓心を買おうという日本人を、韓国人とてこころから尊敬できないのはわかりきったことなのだ。恥ずべき態度、といってよいであろう。

逆に、日本のなかで威勢よく韓国批判をしているひとたちが、韓国に行って韓国人のまえで堂々と同じことを述べた、ということも、寡聞にしてわたしは知らない。なぜ日本で声高に韓国批判をするひとたちは、その批判を日本人相手ではなく肝心の韓国人相手に語らないのだろうか。不思議なことである。理路整然とした韓国批判であるなら、全員とはいわないが多くの韓国人は耳を傾けるのである。韓国人の民度は、その意味で、低くない。

わたしの「親韓の作法」にしたがうならば、日韓関係がよくない理由を、日韓どちらか一方だけが悪い、というように単純化してはならない。なぜならそれは事実ではないからだ。日韓双方が、相手の主張に耳を傾けて、批判すべきところを批判し、反省すべきところを反省する、というもっともシンプルな作業を地道につづけていくほかないであろう。

わたしは、このシンポジウムで、今後の日韓関係をよりよいものにしていくためにわれわれはなにをすべきか、という提言をした。わたしの専門が哲学・思想・文化であるために、この提言は多少抽象的なものになった。しかし、わたしの考えでは、日韓の摩擦は表面的なものではなく、まさに構造的・深層的・本質的なものであるにもかかわらず、政治・外交・経済・社会などの専門家たちはこれをあまりに表面的に見過ぎているのである。「日韓両首脳が会って話をすればうまくいくだろう」というのも一理はある。しかしそういう表面的な弥縫策によってこれまで日韓関係は抜本的に再構築されたであろうか。わたしの答えは

「No」である。

以下、わたしの提言を羅列してみる。

1 韓国人は日本への過度な依存をやめるべきだ

まずなによりも、韓国人は日本への過度な依存をやめなくてはならない。ここで「依存」というのは、歴史問題に起因するすべてのことを「日本のせい」だとして他者化することによって、逆にその他者なしには自己の生存が続けられなくなるような関係性を指している。

この「依存」は、竹島（独島）問題や慰安婦問題に関して、韓国のなかで「異論の余地なく」日本が悪い、という意見が全面的に共有されていることに端的に表われている。歴史的な事実を真摯に分析してみれば多様な「異論」が並列されるべきである問題に関して、「異論の余地なく」特定の勢力に非がある、と考えることは、客観的にいって思考が停止していることを意味している。わたしはこれらの問題に関して、韓国人の思考が徹底的に停止しているのではないかと深く憂慮しているのである。

翻って日本社会のなかでは、竹島（独島）や慰安婦問題に関して、実に多様な「異論」がひしめきあっている。わたしはこの事実によってのみ、日本社会に信頼を寄せている者である。わたしは日本社会に正義があるから日本社会を信頼しているのでない（正義があるかないか、などという問いには答えられない）。もし日本社会が一丸となって「竹島は日本のものだ」「慰安婦問題で日本は悪くない」と主張しているとするなら、わたしは自分が日本社会の一員であることを根本的に恥じるであろう。

しかし、幸いなことに、日本社会では異論がひしめきあっている。「竹島は韓国のものだ」と公的に語る学者が、日本では敬意を払われてきただけでなく韓国側の主張に学問的根拠を与えてきたし、「慰安婦問題は日本が悪い」といってこの問題を世界で公論化したひとたちの多くも日本人である。

「それは一〇〇％日本が悪いのだから当たり前だろう」という反応がもし韓国から出てくるのだとしたら、それは韓国社会が思考停止していることの証拠なのである。竹島（独島）の問題も慰安婦の問題も、どちらかの主張が一〇〇％正しく、どちらかの主張が一〇〇％間違っているということはありえない。これが客観化された認識である。そしてこの客観化された認識を持つことができるということが、独立した民主的社会の要件のひとつである。

もし韓国が北朝鮮のような独裁国家であるなら、そのことが「多様な異論が許されない」

ことの理由にはなる。しかし韓国は輝かしい民主化の歴史を誇る社会である。多様な見解がぶつかりあい、劇《はげ》しい摩擦と対立が繰りひろげられるダイナミックな社会である。そのダイナミズムはむしろ日本社会よりずっと力動感が伴うものだ。だとすると、そのようなダイナミックな民主主義の社会で、いまだに日本に関する言説においてのみ「異論が許されない」のであるとすれば、これは韓国が日本に対して特別な関係、つまり日本に関してのみは思考を停止せざるをえない特殊な関係を保っていることを意味している。

この関係から脱皮するのは容易ではないだろう。北朝鮮との正統性の競争という観点からいえば、「日本は特殊である」という認識から韓国だけが脱してしまうことはあまりに危険であることも理解できる。北朝鮮の「われらの民族にとって日本は特殊である。南朝鮮はその認識から脱して日本帝国主義に屈するのか。もしそうなら、われらこそが正統性競争の勝利者である」という言説に対抗するのは容易ではないことも、理解できるのである。

しかし、韓国が日本から精神的に真に独立するためには、まずは日本に関するすべての問題において、日本へ過度に依存することを止めなくてはならないのである。

日本に対して「正しい歴史認識を持て」とか「自分たちと同じ考えを持て」と語ることは、究極の「日本への依存」を表している。相手を全面的に自分と同じにしなければならないという心情は、（刺戟的《しげきてき》な言葉で申しわけないが）幼児が父母に対して抱く感情そのものなのである。「他者は自分とは違う考えを持っている」ということに気づき、それを受け入れるだけでは足りない。「他者は自分とは徹底的に異なる存在である、それでもこの他者と自分はなんらかのかたちで折り合いをつけてともに生きていかなくてはならない」ということを自覚すること。このことしか、真の民主社会を構築する道はないのである。

民主化闘争のラディカルさでは日本より韓国のほうが何十倍もすばらしかったが、達成された民主主義の成熟度は、韓国より日本のほうが上だ。それは日本が道徳的な社会だからではなく、逆に日本が他者に対して冷淡に尊重する社会だからなのだ。他者を自分と同じ考えにしようとは思わない。他者は両親であれ子どもであれ徹底的な他者である。この冷静な個人主義が日本社会に機能しているあいだは、わたしは日本社会は健全だと思っている。

ただ、いまの日本社会は「他者はどうせ他者である」という考えが行き着くところまで行ってしまい、他者に自分の考えを説明しても無駄だという認識が充満しすぎてしまっている。これは民主主義の成熟ではなく、死への道である。日本社会はあきらかに生命力を喪《うしな》いかけている。生命力というものをドイツ観念論的に弁証法的なものだと考えるなら、日本には「他者に対する否定」と「それを相互に乗り越えて止揚しようとする力」が圧倒的に不足している。

だからわたしは「韓国に学べ」と主張しているのだ。韓国の民主主義は基本的に「おまえの考えは間違っている。おれの考えに合わせろ。なぜならおれの考えが一〇〇％正しいからだ」という論法になっている。これは間違った論法なのだが、ここでは「対立の構図」と「論争」が活性化する。日本社会は韓国社会のこのダイナミズムを学ぶべきなのだ。韓国社会から学ぶことによって、日本社会は生命力を取り戻すだろう。

しかし韓国社会は逆に日本社会から、「他者は自己とは異なる存在である」「他者に対して道徳主義的かつ父性主義的な（paternalistic）干渉をしてはならない」ということを学ぶべきだと考えるのである。

2　日本人もまた、韓国への過度な依存をやめるべきだ

韓国人がほぼ全面的に日本に依存しているのとは異なり、韓国に依存している日本人は実際はさして多くない。しかし、「左」と「右」の両陣営に、この「依存症」の人間は多い。

まず「左」の陣営は、日本の封建性や非近代性や反道徳性や天皇制などを糾弾するという

目的のために、韓国を利用してきた。彼らの目的は日本社会を近代的に、道徳的に、自由で平等で平和に、リベラルにないしは共産主義的にすることであった。この目的のために克服すべき壁は多く、高かった。戦後の日本において、左派およびリベラルの果たした役割を過小評価しては決してならない。もし戦後の日本で左派およびリベラルがもっと弱小であったなら、東アジアの勢力図は現在とはまったく異なったものになっていただろう。

だが日本の左派およびリベラルの欠点は、東アジアというものに対する理解を根源的に欠いていることにあった。このことは戦後、執拗に指摘されつづけたことである。日本の左派およびリベラルは、根本的な意味において西洋至上主義であった。中国（毛沢東主義）や北朝鮮（主体思想《チュチェ》）を崇拝する勢力は存在したものの、それはきわめて観念的な崇拝なのであって、実際の中国や北朝鮮に対する理解は浅かったというほかはない。観念的＝西洋の観念崇拝＝現実の東アジア蔑視というのが、日本の左派およびリベラルの一般的な姿勢である。

この勢力は、「日本をよくするために」東アジアを利用してきた。韓国のなかみがなんであるかを知らず（知ろうとも思っていなかった）、韓国を単なる利用対象と考えてきた。わたしは日本人の左翼だけでなく、リベラルと称する在日コリアンのひとびともまた、実際の韓国に対してきわめて無知であることに驚いていている。

この勢力は、「もし韓国人がいなかったら、日本をどのようによくできるのか」という想像力を持たないひとびとである。もし韓国人が日本の併合植民地支配に対して民族主義的な抵抗心を持たなかったら、もし韓国人が慰安婦問題に対して日本を批判しつづけなかったら、もし韓国人が日本による経済的収奪を糾弾しつづけなかったら、……彼らはどのような論理で日本を批判できたであろうか。ほとんど不可能であっただろう。その意味で、日本の左派およびリベラルは、韓国に強く依存しているのである。より正確にいうならば、韓国人が日本に依存しているその心性に、日本の左派およびリベラルは依存しているのである。これを「日韓の共依存」といってもよいだろう。

ところで最近、日本に増えている「右」の陣営もまた、韓国への依存が著しい勢力である。彼らは歴史認識、領土問題などに関して、ことごとく「韓国は間違っている」と主張している。つまり、右派や嫌韓派は、この世に韓国がなければ自らも存在できない構造のなかで増殖しているひとたちなのである。よく冗談で、「安倍政権の最大の支持者は中国と韓国だ」といわれる。この冗談は、日本の右派がいかに中国・韓国に依存しているかを正確に表現している。中国・韓国が日本に反発すればするほど、日本の右派がそのエネルギーを吸収して肥大化するのである。

この現象を「日本の韓国化」と表現してもよいだろう。韓国人は誤解しているのだが、「日本の右傾化」というのは「日本の韓国化」とさして変わらないことをいっているのである。たしかに日本は右傾化している。そのことは厳然たる事実である。しかしそれはほかの言葉でいえば「日本の普通の国化」であり、「日本の韓国化」なのだ。憲法九条を改正して自衛隊を国防軍とする。どうしてこのことが「極右化」なのだろうか。この表現がもし正しければ、韓国は建国以来いままでずっと「極右」でありつづけたことになる。日本の産経新聞はたしかに節度を逸した韓国報道をしている。このことをわたしは憂慮している。しかしこれは正確にいって、「産経新聞の韓国メディア化」という現象なのである。

日本の嫌韓派が増大したのは、韓国の新聞がインターネットの日本語版を充実させたことと密接な関係があると考えられる。嫌韓派の考えは、以下の通りである。「日本のリベラルは日韓友好ばかりを唱えてきた。そのことによって日本のなかで言論のヘゲモニーをがっちりと守ってきた。しかし自分たちはそのエリートたちから排除されている。自分たちの考えを述べる場がどこにもなかった。だが、いまや自分たちにもインターネットがある。これまで日本でヘゲモニーを握ってきたリベラル勢力を叩きつぶしてやる。韓国の新聞を見よ。そこには日本に対する悪口といわれのない批判が満ち溢れているではないか。このような韓国と友好的な関係を結べというのか。それは不可能だ。リベラル勢力は韓国という国家の本質を知らない。だから日韓友好などという悠長なことをいっていられるのだ。韓国の本質は反日国家である。このような国とは仲よくできないというわれらの主張こそが正しいのだ」。

このような「これまで日本社会で疎外されてきた嫌韓派」と、同じように疎外感を感じていた自民党傍流である清和会系の政治家たち、そしてメディアにおいて傍流でありつづけた産経新聞がスクラムを組んで、一生懸命韓国に依存しようとしているのが、いまの日本の「右傾化」である。

自己の陣営の存続のために、「邪悪な他者」を絶対的に必要とする勢力が、日本と韓国においで相互依存しているのである。

3　「日韓が世界をリードしている」という自覚を持つべきだ

日本と韓国はともに、世界史のなかで中心的な存在となったことがない。この点が、中国やヨーロッパや米国との顕著な相違である。

このことが、日本と韓国の双方に過度な劣等意識を植えつけている。この劣等意識と自信のなさが、日韓関係を非生産的にしている大きな要因のひとつである。

事実だけを見れば、実は日本と韓国は戦後（解放後）、世界に対して大きな貢献をしているのである。にもかかわらず、そのことを自信を持って自己評価できていない。経済に関していえば、かつて植民地支配した側とされた側が同じく高度成長して先進国になった。これは世界でもほかに例のないことである。歴史問題に関しても、かつて植民地支配をした欧米のどの国家よりも真摯に日本は問題を直視し、解決しようと努力してきた。韓国もそれを受け入れようとした。このような事例は、世界のなかで日韓だけが行ってきたことなのである。それなのに、日韓はそのことを理解しようとせず、自信を持とうともしてこなかった。この自信のなさが、ますます日韓関係を悪化させているという悪循環に陥っている。それだけではなく、いまや世界でかなり大きな存在感を持つようになった日韓が自己および両国関係への肯定感を持てないことが、大きくいえば世界全体に悪影響を及ぼしはじめているのだ。

それはどういうことだろうか。

欧米において、「植民地支配とはいけないことである」という真摯な反省のもとに学問的研究を行いはじめたのは、一九九〇年代のことである。そのような傾向の学問を総称してポストコロニアリズムといっている。しかし日本においては、欧米に先立つことほぼ二十年にして、つまり一九七〇年代にはすでに、併合植民地支配の反省にもとづく学問が花開いていた。それは主に左派の歴史学者たちによる研究であった。マルクス主義者たちによる反帝国主義の歴史研究が、日本では戦後いち早く盛んになったが、植民地朝鮮に対する贖罪《しょくざい》意識にもとづいた研究は一九七〇年代に花開いた。この研究は、加害者（悪）と被害者（善）を二項対立的に分離するものだったので、それらの複雑な関係性を問うポストコロニアリズムとは異なる。だが、それは意味のある研究だった。その後ずっと、日本で朝鮮研究といえば、主に併合植民地支配に対する反省の意識が反映された歴史研究を指したのである。

このことが、現在の右派や嫌韓派のいうように、戦後リベラルや左派の学界・言論界支配の運動と連動していたことはたしかである。つまり、朝鮮史研究という学問分野が、学界や言論界におけるヘゲモニー争いと直結していたのは、事実なのである。しかしそのことへの批判を充分に受け入れたとしても、やはり世界に先駆けて日本において、後にポストコロニアリズムと呼ばれることになる学問分野が誕生し、成熟したことは、誇ってよいことなのである。

これは日本の力だけによってなされたことではない。左派およびリベラルの在日コリアン、北朝鮮、そして韓国が日本に対して積極的に「歴史の反省」を促したため、このような研究が日本で生まれることになった。この背景には、朝鮮半島という地域が、欧米が植民地にした国・地域とは異なる性格を持っていたということが大きい。そもそも朝鮮は日本の植民地に転落する以前は、儒教的な文明の高さを誇る王国であった。朝鮮から見れば日本は自国よりも文明の劣る国である。そのような韓国・北朝鮮の自己意識が、解放後の日本に対してきわめてレベルの高い知的・道徳的な要求をしつづけてきた原動力である。日本の左派・リベラルは、韓国・北朝鮮・在日からの知的・道徳的な要求に真摯に応答しなくてはならなかった。「歴史をどう解釈し、反省するか」という要求である。そしてその応答の過程で、日本は実に多くのことを学び、反省し、また学問的知識を蓄積したのである。

このことを日韓は誇ってよいのだし、恥じるべきことではまったくないのである。

併合植民地支配というものがどのように苛酷で理不尽なものであったのか、そのことを日本の為政者はたびたび謝罪し、反省してきた。その謝罪と反省は単なる心情的なものなのではなく、膨大な学問的蓄積にもとづいて、なされている。「事実ひとつひとつの解釈は多様でありつづけるが、総体として考えると併合植民地支配は理不尽であった」という日本側の認識は、韓国人が考えるほど軽いものではない。世界のどの植民地支配国もなしえなかった反省と謝罪を、日本はいくたびもしているという事実を、決して軽く認識しないでいただきたいのである。韓国人としてはもちろん満足できないだろうし、納得すらできないかもしれないが、これまで日本側が示してきた反省的な姿勢を「まったく意味がない」（韓国人の多くはそう考えているとわたしは判断する）と切り捨ててしまうのなら、未来は完全にふさがれてしまうのである。

韓国人にとっては不満足な水準であるかもしれないが、まがりなりにも日本は「植民地支配への謝罪と反省」という行為に関しては、世界のモデルとなるようなことをしてきた、という認識を少しでも持っていただくことができなければ、この「謝罪と反省プロジェクト」は途中でつぶれてしまうのである。

慰安婦問題も同じである。韓国の朴槿恵大統領（二〇一四年当時）や市民運動団体は、世界中に向かって慰安婦問題に関して「日本は不道徳だ」と主張しつづけている。もちろん、韓国人から見れば（日本人から見ても）、慰安婦問題に対する日本政府の対応は不満足なものである。しかし、戦時女性への性暴力の問題を、世界に先駆けて初めて公論化し、正面からこの問題に向き合ったのは、一九九〇年代はじめの日本政府だったのである。このことをあまりにも過小評価すると、後々に悪影響を及ぼすことになる（実際その悪影響は充分に現われてしまっている)。

一九九六年に国連人権委員会でクマラスワミ報告がなされたときも、欧米の反応は冷ややかであった。この「冷ややかさ」の意味を、われわれは冷静に判断しなくてはならない。一九九〇年代の半ばには、欧米諸国もまだ、戦時の女性に対する性暴力という問題に正面きって向かい合う姿勢ができていなかったのである。正面からこの問題に向き合うと厄介な事態になるということは、西洋先進国には充分にわかっていた。できるなら避けて通りたいイシューであった。これがクマラスワミ報告に対する「冷ややかさ」の意味なのである。

しかし日本のみは、この問題に正面から積極的に取り組んだ。河野談話を発表し、アジア女性基金を立ち上げ、首相のお詫びの手紙と償い金を元・慰安婦の方々(希望者)にお渡しした。もちろん日本政府が個人補償をすることができればもっとよかったであろう。しかし、一九六五年の日韓条約および請求権協定の解釈を変えようと政府がもし動いても、司法がその判断をしているあいだに慰安婦の方々は多く亡くなってしまうだろう。抜本的で根本的な対策をとるための時間的余裕はないと、一九九〇年代には判断された。そして条約・協定の範囲内で考えられうるもっとも人道的な案が実行されたのである。

われわれは「このことを高く評価してほしい」と韓国人に訴えているのではない。少なくとも、その当時、挺対協（韓国挺身隊問題対策協議会）と日本の左派が主張したような「日本は責任を一切とろうとしない不道徳な国家だ」という頑《かたく》なスローガンに固執しなければ、その後もっとほかの道がありえたではないだろうか、といいたいのである。

これらすべてのことは、日韓のひとびとが、自分たちが現に行っている行為に対してあまりにも過小評価しすぎているという理由から生じている。挺対協と日本の左派は、一九九〇年代、自分たちが行っている行為にもっと自信を持ってもよかったのである。「自分たちがこの問題を提起したことにより、少なくとも日本政府は公式的に謝罪し、条約・協定の枠内でできる精一杯の措置をした。これは世界ではじめての快挙だ。もちろん日本の措置は充分ではないし、われわれの要求水準には大きく満たないが、それでも一定の成果をあげることはできた。今後はこれを土台として、さらに世界に向かって日韓が共闘して戦時女性の性暴力問題に立ち向かおう」という考えを持ってもよかったのである。そのような自信を持った運動家たちに、世界のひとびとは惜しみなく敬意を払ったであろう。

しかし現実はそうではなかった。運動体は世界に向けて、「日本政府は不道徳である」という主張を繰り広げつづけた。なぜだろうか。わたしの考えでは、彼ら・彼女らには自信がなかったからである。自分たちがなにをすべきであるかについて充分に知悉《ちしつ》していなかったからである。「戦時の女性に対する性暴力」問題を解決することという独立精神に富んだイシューではなく、もっと日本に依存できる安易な「反日」という道を歩んでしまったのである。だから運動は自己の閉鎖的な論理回路のなかで空転をしつづけ、日本のなかに当初数多くいた慰安婦問題への積極的関心派のこころは、やがてほぼ完全に運動体から乖離してしまったのである。

その結果、事態はどうなったのか。「運動体が頑な姿勢を少しも崩さずに事態が膠着《こうちゃく》する過程で、元・慰安婦のハルモニたちのほとんどは死亡してしまったではないか。むしろアジア女性基金の手紙と償い金を受け取ったハルモニたちのほうが幸せだったのではないか。その選択肢を強引に（暴力的な手段まで使われて）遮断され、最後まで恨みを抱いて死んでいったハルモニたちの不幸はいったい誰のせいであろうか。運動体ははたして道徳的であったといえるのだろうか」という批判を受けるようになったのではないか。

もし運動体に充分な自信があれば、戦時の女性に対する人権侵害の問題を世界ではじめて公論化し、日本政府にまがりなりにもこの問題を正面から認識させ、謝罪と反省を導き出したのだという自己認識ができたであろう。そして多くの日本人の賛同と呼応を得て、さらに生産的な活動に邁進することができたであろう。

日韓は、どこかの先進国でつくられた「世界のスタンダード」をただ受動するだけの存在ではない。歴史の問題に関して世界のどこもができなかった取り組みを協働で地道に行ってきたのである。このことを決して忘れてはならないし、このことを忘れて日韓がいがみあいを続ければ、世界全体の幸福にとってよくない影響を与えるのだ、という責任感を持たなくてはならないのだ。

4　相手の魅力的な像をいかに構築できるかが重要だ

日韓の知性は互いに相手のことを実はよく知らない。これが決定的な問題である。しかしそれと連関することだが、一般大衆もまた、互いに相手の国のことを知らないのである。

韓国人は、「日本のことをよく知っている」と自己認識してきた。むしろ「もう日本のことなどはすべて知っている。なにも新しくもない」という雰囲気さえ漂っているといってもよいほどだ。しかしその「知っている」内容に関しては、充分であるといえるだろうか。日本に関する研究者は韓国に多い。だが、それらの高度なレベルの研究は、充分に韓国社会に還元されているだろうか。日本の国際交流基金が調査したところによると、韓国の日本学研究者は、その実力に比べて韓国社会のなかで充分に活躍できているとはいえないという。

日本においては、二〇〇三年頃から始まった韓流ブームが圧倒的な転回点であった。かなり多くの日本人がこの時期、韓国文化にこころから熱狂したといってよい。韓国のテレビドラマ、映画、歌が日本に浸透した。これは文句なく、日本人の韓国認識の質・量を決定的に変えた「事件」であった。しかし、わたしの考えでは、この「韓流」は韓国の総合的かつ魅力的な像を構築するのに失敗したのである。

韓国の歴史ドラマを見て日本人は多くのことを学んだ。しかしそれによって韓国に対する尊敬心を培うには至らなかった。「韓国の歴史はすごい。おもしろい。しかしそれは韓国だ。日本とは全然違う。日本が韓国でなくてよかった。はっきりいえば韓国の歴史は、興味深いが好きになれない」という一般的な印象をそれは日本人のこころに植えつけて終わった。なぜ「韓国の歴史はすごい。日本とは全然違う。だからおもしろい。好きだ。もっと知りたい。もっと感情移入したい」という認識にならなかったのか。ここには考えるべき重要な鍵があると思う。

これは一方でコンテンツを提供する韓国側の問題でもあるが、他方でわたしも含めた日本人側の問題でもある。なぜだろうか。韓国を根本的な意味で魅力的に描くことに、いまだ韓国人も日本人も成功しえていない。これがもっとも大きな問題なのである。

ここで「魅力的」という言葉を、誤解してはならない。美男美女が出演して華麗な衣裳を着て演技することや、派手なアクションで視聴者の目を釘付けにすることや、大袈裟な号泣やわめき声で視聴者の耳をとらえようとすることを「魅力的」といっているのではない。そうではなく、韓国あるいは朝鮮半島の歴史と文化を総合的にきわめて深いレベルでとらえ、それを読者や観客に提示することを、ここでは「魅力的」といっている。「深いレベル」という点がもちろんもっとも重要である。

そのためにはなにが必要か。別の言葉でいえば、われわれにはいま、なにが足りないのか。ひとことでいえば、「哲学」と「才能」であろう。

韓国人も日本人も、韓国という対象を、イデオロギーや理念でとらえすぎている。イデオロギーや理念でとらえられた対象は、一見、魅力的なのである。しかしそれはあくまでも皮相な理解にすぎない。やがて読者や観客は、その「皮相さ」に愛想を尽かして去ってしまうだろう。「哲学」のないものが人間のこころを長くとらえることはできない。

韓国はきわめて複雑な関係性の集合態である。この複雑性をありのままに把握しながら、その歴史と文化の深層にまで降り立った作品というものを、われわれは真に享受したいのである。吉川幸次郎が中国文学・思想に関して書いた歴史、司馬遼太郎が近代日本に関して書いた歴史、塩野七生がローマ帝国に関して書いた歴史……そういう魅力的な像を、われわれ日本人はまだ韓国に関して生み出していない。これこそ、われわれ日本人の「哲学的」な怠惰なのである。

現在の事態はその逆である。きわめて表面的な、悪意に満ちた韓国批判本ばかりが日本の書店の棚を占拠している状態である。このことを批判したり嘆いてばかりいてはならない。この事態に責任があるのは、表面的なことばかりに神経を集中してきたわれわれ日本の韓国研究者たちなのである。韓国に関して事実を収集・蓄積し、さらにその事実の深層にある文化・思想を総体的に体認し、それを魅力的なかたちで世界に提示すること。このことができていないわれわれ自身の問題なのである。

そのようなことができるためには、あるいはそのような人材を育てていくには、気の遠くなるような努力と、一種の天才性が必要であろう。人文学・社会学における天才的な才能を、韓国研究の分野にひっぱりこむことが、われわれの課題である。そのためにはまず、われわれ自身の日々の営みの質を高めなければならないだろう。

おわりに

本書の第九章で、わたしが韓国の朝鮮日報主催のシンポジウムで発言した内容を紹介した。ここでは、最後にもうひとつだけ、わたしが韓国での講演で発言した内容の一部を抜粋してみたいと思う。これもまた、第九章で語ったわたし流の「親韓の作法」にのっとった発言である。

発言の舞台は二〇一八年六月に韓国・済州島で開催された「第13回 済州フォーラム（13th Jeju Forum for Peace & Prosperity）」だった（以下、講演の抜粋）。

果敢だった韓国の決断

まずはなによりも、一九九八年に、日本大衆文化を段階的に開放することを決断した金大中元大統領、韓国政府、そして関係者のみなさんに深い敬意を表したいと思います。すべての大きな政治的・外交的決断と同じく、あの当時には「大きな決断」だったことが、二十年後のいまではその「大きな」という形容詞の意味を充分に理解することが困難になっています。「なぜ日本の大衆文化を開放することがそんなに大きな決断だったのか、理解しがたい」と、若い韓国人やほとんどの日本人は、現在、不思議に思うでしょう。そのことこそが、重要な事実なのです。

この二十年のあいだに、日韓の文化交流は劇的に盛んになり、両国の市民は相手の文化についてよく知るようになりました。「日常化」という現象もすでに始まっています。相手の文化に対して特に「国籍」「異文化感」「違和感」「異質感」を感じずにごく日常的な態度で接している、という現象です。

これが、この二十年におけるもっとも印象的かつ肯定的な変化でしょう。文化産業に従事するひとびとや文化交流事業を継続してこられた方々や中央・地方政府の地道な努力のたまものであり、すばらしい成果であったと思うのです。

「新しい文化パラダイムの創造」——二〇一二年の提言

二〇〇〇年代にはいると、日本で「韓流」という画期的な現象が起こり、韓国でも「日流」と呼ばれうる動きが起こりました。まさに「時代が大きく動いた」という実感を、日韓両国のひとびとが抱いた時期でした。

このような背景のもとに、わたしも委員として参加した日韓文化交流会議（第三期、二〇一〇年～二〇一二年、日本側委員長・川口清史、韓国側委員長・鄭求宗）は二〇一二年五月に、提言「創造的日韓・韓日関係を目指して」をまとめ、両国政府に提出しました（日本語版は日韓文化交流基金のホームページで全文を閲覧できます）。この提言は、いまだに有効であるし、重要であるとわたしは考えます。

この提言においては、具体的な施策案が数多く出されましたが、それとは別に、「日韓のコラボレーションを通した新しい文化パラダイムの創造と、世界への発信」という理念が語られました（理念の内容は省略）。

ここで語られていることが、日韓の文化交流における理念・思想の根幹でありつづけていると、わたしは個人的に考えています。

特に重要なのは、「文化」を狭い意味ではなく広い意味にとらえ、コンテンツや商品としての文化だけでなく、「人類全体の幸福を増すための文化パラダイム」を協働して構築することが、日韓という先進国に与えられた使命だと考えるのです。

互いの不信と無理解を乗り越えなければならない

二〇〇〇年代の韓流以降も、日韓の文化交流自体は進展しましたし、日本での韓国ドラマやK－POPの人気に衰えはありません。

ただ、他方で、憂慮すべき問題も露呈しました。

ひとつは、文化を「力」や「序列」という概念に強く結びつけてとらえる考え方です。これは米国流の「ソフト・パワー」という戦略的な概念とも関係するのですが、より根源的には、東アジアの伝統的な儒教的観念に近く、「文化は高いところから低いところに流れる」という序列志向の世界観です。特に韓国側にこの考えが強く、韓流という現象を語る際に「韓国文化の力」という切り口を用いることが非常に多かったのです。これは、憂慮すべきことであるとわたしには思われました。その後、日本のなかで韓国文化に対する反発・嫌悪の感情が澎湃《ほうはい》として起こったことと、この「力」という考え方のあいだに、なんらかの関係があると考えることもできるでしょう。

もうひとつは、広い意味での相互の「文化」をめぐる不信感が増幅した、という現象です。表面上は、歴史認識問題や民主主義のあり方をめぐる摩擦なのですが、その根底には、相手の「文化」に対する疑義や不信が介在していたのです。

たとえば、法や条約とはなんなのか。人権や道徳とはなにか。そもそも市民とはなんなのか。これらは、自由で民主的な社会をつくっていくうえで根本となる思考です。しかし日本も韓国も、相手の社会が持つこれらの重要な観念に対して、まだまだ理解が深まっているとはいえません。

一九九八年一〇月八日の小渕首相・金大中大統領による「日韓共同宣言―21世紀に向けた新たな日韓パートナーシップ―」に盛られた次の文言が、単なるスローガンではなく、実質的な意味において、日韓の「体制の共有」という言葉を現実化した最初のものだったと思います。

「両首脳は、日韓両国が、自由・民主主義、市場経済という普遍的理念に立脚した協力関係を、両国国民間の広範な交流と相互理解に基づいて今後更に発展させていくとの決意を表明した」。

しかし二〇一五年三月に、日本外務省ホームページの韓国基礎データ部分において、「（韓国は）我が国と、自由と民主主義、市場経済等の基本的価値を共有する重要な隣国」という従来の記述が、「我が国にとって最も重要な隣国」という単純な表現に変わりました。つまり「自由や民主主義といった基本的価値を共有する」という部分が削除されたのです。

慰安婦問題、元徴用工をめぐる裁判、仏像盗難、産経新聞ソウル支局長の在宅起訴問題などをめぐって、韓国の「法の支配」に対して、日本政府が違和感を抱いたのはたしかです。それだけではありません。日本社会の大きな部分が、この違和感を共有したといってもよいでしょう。

つまり、それまで、「体制の共有」という観念のもとに、われわれは比較的楽観的に日韓間の価値の共有を信じてきたのですが、実は「自由」「民主主義」「法」などという根本的な概念において、日韓間にはそもそも大きな齟齬があることが露呈したのです。これらの言葉を日本語と韓国語は共有しているのですが、しかし実は、この言葉が指し示す文化社会的コノテーションは、日韓の間でかなり異なるという意味です。

しかしわたしとしては、日本政府のこのような態度は、あまりにも性急な感情にもとづいているものであるように思います。

日本人は、韓国社会がこれまで積み上げてきた歴史的経験のゆたかな意味を、真摯に知ろうとしなくてはなりません。そして、日本が築き上げてきた自由や民主主義や法などという概念とは異なる、韓国が築き上げてきた自由・民主主義・法の概念に対して、敬意をもって理解しようとしなければなりません。韓国人が自らの血を流して勝ち取った民主主義の尊い意味を、深いレベルで追体験し、理解しなければなりません。単に「自分たちと異なるから」という理由で、それと距離を置こうとしてはなりません。むしろ日本は韓国の経験と創造力を、積極的に学ばねばなりません。そして自分たちの自由・民主主義・法の概念を、よりよく改造していかなくてはならないのです。そのよいお手本が韓国にある、という発想に転換しなくてはなりません。

他方で韓国人もまた、日本の経験をあまりにも軽く見る傾向から脱していく必要がある、と思います。韓国人に対する世論調査では、「日本に悪い印象を持っている理由」のトップとして、「韓国を侵略した歴史について正しく反省していないから」というものが圧倒的に多いという結果が出ます（たとえば日本の言論ＮＰＯと韓国の東アジア研究院が共同で行う毎年の「日韓共同世論調査」）。韓国社会にずっと暮らしていると、このような認識を持つようになるのは当然です。しかし日本人の側からいうと、「併合植民地支配や戦時女性人権蹂躙問題に対して、日本こそ、政府が公式に謝罪した世界最初の国である」という事実の「重さ」を、韓国の方がまったく理解してくださっていないことに、無力感を抱くのです。「日本人は歴史を一切反省していない。ドイツとは大違いだ」というステレオタイプの言説に接するたびに、日本人は多くの場合、強い違和感を抱きます。

また、世論調査では、韓国人は日本の社会・政治体制のあり方に対して、「軍国主義」「覇権主義」「大国主義」だと思う、という項目が高く、逆に「民主主義」「自由主義」「国際協調主義」「平和主義」は少ないという結果があらわれます（前掲調査参照）。この結果を見て、「これこそ日本の姿そのものだ」と思う日本人がどれほどいるでしょうか。日本人がおそらくもっとも誇りに思っている「平和主義」という観念に対して、韓国人はやはりもう少し理解する努力をしていただきたい、と思うのです。

要するに、日本人は、韓国人がもっとも誇りとする「韓国の民主主義」に対する理解がなく、韓国人は、日本人がもっとも誇りとする「日本の平和主義」に対する理解がないのです。両国の根幹にかかわる理解がないまま、ただ大衆文化の交流のみを行っても、日韓関係は成熟したものにはならないのではないでしょうか。

「狭い意味の文化」ではなく、これからは、両国の体制や観念などといった「広い意味の文化」の理解が重要になってくる、というのは、このことなのです。

（講演の抜粋、ここで終わり）

日韓関係はむずかしいが、なにがもっとも重要かといえば、両国同士が「戦争をしないこと」である。「まさか」と多くのひとは思うだろうが、政治が間違いを犯せば、最悪のシナリオが始まってしまう可能性が絶対ないとはいえない。日韓関係について緊張感のない無責任な発言をネットなどでしているひとたちは、もうすこしだけ緊張したほうがよい。日韓は、もっと深く互いを理解しようとしなくてはならないのだ。

さて、本書は、昨年刊行した『群島の文明と大陸の文明』と同じく、ＰＨＰ新書の西村健氏の勧めによってできあがった。きっかけは、『Ｖｏｉｃｅ』（ＰＨＰ研究所）編集部の水島隆介氏の求めに応じて書いた原稿だった。前著にひきつづき、おふたりに大変感謝している。

なお、各章の初出は以下のとおりである。

【初出一覧】

はじめに　「コロナ禍における「知の性急化」」『比較文明学会会報73』、比較文明学会、二〇二〇年七月

第一章　「現実を視ぬ韓国、過信に陥る日本」『Ｖｏｉｃｅ』二〇一九年十二月号、ＰＨＰ研究所

第二章　「「ナッツリターン」事件にみる韓国社会の本質」『中央公論』二〇一五年三月号、中央公論新社

第三章　「変化と不変化の韓国社会――エリート支配、市民の権力、道徳性」『嫌韓問題の解き方　ステレオタイプを排して韓国を考える』（小倉紀蔵・大西裕・樋口直人共著）所収、朝日新聞出版、二〇一六年六月

第四章　「日本と韓国の政治文化」『青淵』二〇一〇年二月号、財団法人渋沢栄一記念財団

　　　　「朱子学化する日本近代」『機』二〇一二年五月、藤原書店

第五章　「「反米」韓国は、それでも派兵する」『諸君』二〇〇四年二月号、文藝春秋

第六章　「金正恩と朝鮮半島の民主主義」『Janet』（ウェブ）、時事通信社、二〇一八年七月三一日

第七章　「「正義」しか知らない韓国」『Janet　e-World』（ウェブ）、時事通信社、二〇一九年三月号
第八章　「日本メディアのソウル特派員が伝える韓国論／日韓関係論」『現代韓国朝鮮研究』第二〇号、現代韓国朝鮮学会、二〇二〇年十二月
第九章　「よりよい日韓関係をいかに構築すべきか――五つの提言」、朝鮮日報主催のシンポジウム「NEAR-Chosun Conference: The 50th Anniversary of the Normalization of Korea-Japan Relation and Its Future」、二〇一四年八月二九日、韓国済州島での発表（韓国語）

発表の機会を与えてくださった、それぞれの媒体の担当編集者のみなさんに、感謝したい。

二〇二一年六月八日
夏のいそぎを迎えた京都にて

小倉紀蔵

PHP新書

PHP INTERFACE
https://www.php.co.jp/

小倉紀蔵［おぐら・きぞう］

1959年東京生まれ。京都大学大学院人間・環境学研究科教授。東京大学文学部ドイツ文学科卒業、電通勤務を経て、韓国ソウル大学校哲学科大学院東洋哲学専攻博士課程単位取得退学。専門は東アジア哲学。

著書に『群島の文明と大陸の文明』(PHP新書)、『入門 朱子学と陽明学』『新しい論語』『朝鮮思想全史』(以上、ちくま新書)、『朱子学化する日本近代』(藤原書店)、『創造する東アジア』『〈いのち〉は死なない』(以上、春秋社)、『韓国は一個の哲学である』(講談社学術文庫)などがある。

韓国の行動原理

PHP新書 1268

二〇二一年七月二十九日　第一版第一刷

著者――小倉紀蔵
発行者――後藤淳一
発行所――株式会社PHP研究所
東京本部――〒135-8137 江東区豊洲5-6-52
第一制作部 ☎03-3520-9615(編集)
普及部 ☎03-3520-9630(販売)
京都本部――〒601-8411 京都市南区西九条北ノ内町11
組版――アイムデザイン株式会社
装幀者――芦澤泰偉＋児崎雅淑
印刷所
製本所――図書印刷株式会社

ISBN978-4-569-84998-0

PHP新書刊行にあたって

「繁栄を通じて平和と幸福を」(PEACE and HAPPINESS through PROSPERITY)の願いのもと、PHP研究所が創設されて今年で五十周年を迎えます。その歩みは、日本人が先の戦争を乗り越え、並々ならぬ努力を続けて、今日の繁栄を築き上げてきた軌跡に重なります。

しかし、平和で豊かな生活を手にした現在、多くの日本人は、自分が何のために生きているのか、どのように生きていきたいのかを、見失いつつあるように思われます。そして、その間にも、日本国内や世界のみならず地球規模での大きな変化が日々生起し、解決すべき問題となって私たちのもとに押し寄せてきます。

このような時代に人生の確かな価値を見出し、生きる喜びに満ちあふれた社会を実現するために、いま何が求められているのでしょうか。それは、先達が培ってきた知恵を紡ぎ直すこと、その上で自分たち一人一人がおかれた現実と進むべき未来について丹念に考えていくこと以外にはありません。

その営みは、単なる知識に終わらない深い思索へ、そしてよく生きるための哲学への旅でもあります。弊所が創設五十周年を迎えましたのを機に、PHP新書を創刊し、この新たな旅を読者と共に歩んでいきたいと思っています。多くの読者の共感と支援を心よりお願いいたします。

一九九六年十月

PHP研究所

1212 メディアが絶対に知らない2020年の米国と日本　渡瀬裕哉
1225 ルポ・外国人ぎらい　宮下洋一
1226 「NHKと新聞」は嘘ばかり　髙橋洋一
1231 米中時代の終焉　日高義樹
1236 韓国問題の新常識　Voice編集部［編］
1237 日本の新時代ビジョン　鹿島平和研究所・PHP総研［編］
1241 ウッドロー・ウィルソン　倉山 満
1248 劣化する民主主義　宮家邦彦
1250 賢慮《けんりょ》の世界史　佐藤 優／岡部 伸
1254 メルケル 仮面の裏側　川口マーン惠美
1260 中国vs.世界　安田峰俊
1261 NATOの教訓　グレンコ・アンドリー

［**人生・エッセイ**］
377 上品な人、下品な人　山﨑武也
742 みっともない老い方　川北義則
827 直感力　羽生善治
938 東大卒プロゲーマー　ときど
1067 実践・快老生活　渡部昇一
1112 95歳まで生きるのは幸せですか？　池上 彰／瀬戸内寂聴
1132 半分生きて、半分死んでいる　養老孟司
1134 逃げる力　百田尚樹
1147 会社人生、五十路の壁　江上 剛
1148 なにもできない夫が、妻を亡くしたら　野村克也
1158 プロ弁護士の「勝つ技法」　矢部正秋
1179 なぜ論語は「善」なのに、儒教は「悪」なのか　石 平
1211 保険ぎらい　荻原博子

［**宗教**］
123 お葬式をどうするか　ひろさちや
955 どうせ死ぬのになぜ生きるのか　名越康文

［**自然・生命**］
1016 西日本大震災に備えよ　鎌田浩毅
1257 京大 おどろきのウイルス学講義　宮沢孝幸